MÁS FRUTA
Y VERDURA ·

la cocina es...

bienestar

MÁS FRUTA
Y VERDURA

Recetas en colores para proteger nuestra salud

Colección dirigida por Paola Loaldi

everest

Textos y asesoramiento gastronómico de Paola Loaldi

Director de arte: Giorgio Seppi
Coordinación editorial: Lidia Maurizi
Coordinación de redacción: Mietta Molon
Proyecto gráfico: Studio Veroni
Maquetación: Studio Kibu

Referencias fotográficas: Mondadori Press
www.mondadoriphoto.com

Título original: *Più frutta e verdura*
Traducción: Equipo Capra

© 2007 Mondadori Electa S.p.A., Milano
Mondadori Libri Illustrati
© EDITORIAL EVEREST, S. A. para la edición española
ISBN: 978-84-441-2033-1
Depósito Legal: TO: 532-2009
Impreso en Artes Gráficas Toledo, S. A.
Printed in Spain - Impreso en España

www.everest.es
Atención al cliente: 902 123 400

SUMARIO

PRESENTACIÓN

En los últimos años se han abierto nuevas fronteras en el campo de la investigación alimentaria. No hace mucho tiempo, los expertos ponían el acento en el concepto de "dieta equilibrada", aconsejando mantener la correcta distribución de las necesidades de energía diarias, formada por glúcidos (o azúcares: 55-65%), lípidos (o grasas: menos del 30%) y proteínas (10-12%). Además, hacían hincapié en la importancia del papel de los micronutrientes, formados por vitaminas y sales minerales.

Actualmente, los nutricionistas siguen corroborando la sustancial validez de una dieta equilibrada, pero enriqueciéndola con nuevos conceptos. De hecho, las investigaciones llevadas a cabo con los alimentos han revelado la presencia de otras sustancias "no nutrientes", es decir, que no entran en el metabolismo pero que participan en el movimiento de los radicales libres y desarrollan, por lo tanto, una acción antioxidante que protege el organismo y previene algunas patologías. Estas sustancias están en los vegetales: por ello, las actuales directivas nutricionales tratan de aumentar el consumo de frutas y verduras en la alimentación cotidiana, teniendo en cuenta que estos alimentos deben consumirse en determinadas cantidades y en sus distintas variedades.

Esta premisa es el objetivo principal de este libro, pensado para dar una respuesta práctica a las indicaciones científicas mediante la elaboración de recetas que contengan siempre y en abundancia ingredientes del mundo vegetal. Y puesto que las características de frutas y hortalizas varían dependiendo del color, las propuestas gastronómicas se agrupan en 5 tonalidades diferentes: verde, rojo, blanco, amarillo-anaranjado y violeta-azul. El concepto básico es que, si aprendemos a utilizar, sobre todo, fruta y verdura en las recetas diarias, nuestra salud experimentará notables beneficios. Con este fin, se incluyen tablas explicativas de las propiedades de los distintos alimentos en cuestión, junto con la descripción sintética de su uso principal en la cocina, de manera que nos brinden indicaciones inmediatas y fácilmente entendibles. Otras secciones del libro ofrecen las respuestas a las preguntas más frecuentes que se hacen los que quieren cocinar de forma cuidadosa, así como las sugerencias para construir, estación por estación, completos menús, equilibrados y ricos en vegetales.

Así pues, para llevar a la práctica cotidiana la experiencia científica, sólo habrá que deleitarse en los fogones con las sabrosas recetas que aparecen en las siguientes páginas: podremos experimentar cómo la buena mesa y el equilibrio nutricional no son, necesariamente, dos conceptos contradictorios entre sí, y podremos inaugurar un estilo propio alimentario y gastronómico más sano.

SALUD EN LA MESA

LAS RESPUESTAS DE LA CIENCIA MODERNA CONFIRMAN LA SABIDURÍA DE LOS HÁBITOS ALIMENTARIOS DE ANTAÑO, CUANDO SE COMÍA MÁS FRUTA Y VERDURA.

¿POR QUÉ MÁS FRUTA Y VERDURA?

Las estadísticas muestran claramente que en la actualidad, en el mundo occidental, se corre el riesgo de consumir pocos "micronutrientes", es decir, vitaminas y sales minerales, y pocos "fitoquímicos", compuestos beneficiosos para el organismo. Para evitar estas carencias existen dos vías: comer más fruta y verdura o recurrir a complementos alimentarios. Seguramente, la primera vía, además de ser la más estimulante, sea la mejor elección.

¿LOS FITOQUÍMICOS SE LLAMAN TAMBIÉN ANTIOXIDANTES?

Es importante saber que estos compuestos no nutren, pero protegen, es decir, no entran en el metabolismo pero actúan removiendo los radicales libres y, por lo tanto, desempeñan una función antioxidante. Una acción que no es exclusiva de estos, ya que también la llevan a cabo las vitaminas A, C y E. Tanto los fitoquímicos como las vitaminas citadas están presentes, sobre todo, en el mundo vegetal. Así pues, es fácil deducir que el consumo regular de fruta y verdura es positivo, ya que garantiza a nuestro organismo un aporte beneficioso y protege nuestra salud.

¿EXISTE UNA FRUTA O UNA VERDURA MÁS SALUDABLE QUE LAS DEMÁS?

No. Y combinarlas es la mejor fórmula: es necesario variar su consumo en base a la estación del año. En lo referente a las cantidades, se aconsejan dos piezas de fruta y tres raciones de verdura al día. Esta última, en caso de dietas hipocalóricas, debería comerse incluso en mayor cantidad.

3+2
5 PORCIONES ENTRE FRUTA Y VERDURA

¿A CUÁNTO EQUIVALE UNA RACIÓN DE VERDURA, POR EJEMPLO?

Varía en función de la edad y del tipo de hortaliza: de media, podríamos decir que las raciones son de 50 g (1,76 oz) para los niños y de 100 g (3,5 oz) para los adultos. Lo mismo vale para las frutas. Además, fruta y verdura se compensan mutuamente; pero debe tenerse en cuenta el mayor contenido en azúcar y, por lo tanto, calórico, de la primera.

¿ES CIERTO QUE ES MEJOR COMER ESTOS ALIMENTOS CRUDOS?

Que la verdura esté cocida o cruda, en sopas o dentro de una tortilla no importa, sólo hay que comerla. Lo mismo sucede con la fruta, cocida o cruda. Sin embargo, en el caso de la cocción, hay que seguir algunas reglas.

¿LA COCCIÓN REDUCE LAS PROPIEDADES BENÉFICAS DE FRUTA Y VERDURA?

No siempre, depende de la sustancia. Por ejemplo, la termolábil vitamina C, presente en los cítricos pero también en las coles, es destruida por el calor, razón por la cual los alimentos que la contienen deberían, a ser posible, comerse crudos. Por el contrario, el licopeno, un poderoso antioxidante presente en el tomate, se desprende en mayores cantidades durante la cocción: una salsa de tomate bien cocida contiene más licopenos que una ensalada. Pero, en general, hay que hacer cocciones breves.

¿DEBEMOS ELEGIR EN FUNCIÓN DEL COLOR?

Justamente. Reagrupemos la fruta y la verdura según su color. Descubriremos cinco grupos caracterizados por otras tantas tonalidades: el verde, el rojo, el blanco, el amarillo-anaranjado y el violeta. Para mantener una alimentación equilibrada, a lo largo de una semana debemos "recoger" frutas y hortalizas de cada una de estas cestas.

COLOR = SALUD

¿POR QUÉ UNA VERDURA ES ROJA Y OTRA ES VERDE?

Detrás de este hecho hay una explicación científica: las moléculas vegetales, para defenderse y utilizar la luz solar, tienen sus propias especificidades dadas por la presencia de distintas sustancias. Así, la clorofila realiza esta función en los vegetales verdes, el caroteno para los amarillo-anaranjados, el licopeno para los rojos, las antocianinas para los violetas o los polifenoles y los isotiocinatos para fruta y verdura de pulpa blanca. Así pues, el color es la clave más evidente para saber qué contiene una fruta o una hortaliza sin tener que recurrir al microscopio.

LOS BENEFICIOS DE CADA UNO DE LOS COLORES...

De las espinacas a los guisantes y del kiwi a la uva, comer en verde significa proteger ojos, huesos y dientes. Tienen efectos positivos sobre el sistema inmunitario, los ojos y la piel los vegetales amarillos y naranjas, como las zanahorias, las calabazas, los pimientos, las naranjas, y los melones. Van bien para la memoria y la piel los tomates rojos, las sandías, las fresas y las cerezas; propiedades análogas tiene la familia de las violáceas, como los arándanos, los higos, las ciruelas, las berenjenas y las achicorias. Influye positivamente en los niveles de colesterol todo lo blanco, como las cebollas y el ajo, las coliflores, hinojos, setas, manzanas y peras, donde lo que cuenta es la pulpa.

...Y SUS EFECTOS BENÉFICOS SOBRE LA SALUD

No hay que olvidar que el papel más importante de toda la fruta y verdura, sea cual sea la coloración que la naturaleza le haya dado, es el de protegernos de las enfermedades cardiovasculares y del riesgo de tumores. Además, consumidas en su justa cantidad y variedad, garantizan un gran aporte de pequeños nutrientes y, al mismo tiempo, reducen la densidad energética. Y, finalmente, también son buenas fuentes de fibra.

FRUTA & VERDURA

DEL VERDE AL VIOLETA, TODOS LOS COLORES DE LA SALUD: CADA DÍA DEBEMOS ELEGIR HORTALIZAS Y FRUTA DE DISTINTOS GRUPOS PARA ASEGURARNOS EL APORTE ADECUADO DE SUSTANCIAS ANTIOXIDANTES, VITAMINAS Y SALES MINERALES ÚTILES PARA NUESTRO ORGANISMO.

En esta tabla, las principales variedades de fruta y verdura están divididas en verdes, rojas, blancas, amarillo-anaranjadas y azul-violetas. Leyendo las informaciones resumidas es posible mantener bajo control nuestra alimentación cotidiana, comprobando que también esté equilibrada en los consumos de vegetales. De hecho, no sólo es importante comer más fruta y verdura, sino también que esta sea variada, combinando los distintos colores, ya que concentrar nuestra atención en una única verdura –o una única vitamina- es poco lógico.

En general, se dice que comer alimentos distintos es una recomendación en la que todos están de acuerdo. Además de las verduras, que son fuente de antioxidantes y micronutrientes (vitaminas y sales minerales), hay que recordar el papel de los macronutrientes: los carbohidratos, que deben cubrir el 55-65% de nuestro aporte calórico diario; las grasas, aunque estas no deben superar el 30% de las calorías totales ingeridas a lo largo del día; y, finalmente, las proteínas, absorbidas a través de la alimentación para darnos el 10-12% de la energía restante.

KCAL x 100 g (3,5 oz)	CARACTERÍSTICAS		CURIOSIDADES	EN LA COCINA
KIWI **52 Kcal**	**sí**:	rico en vitamina C y buena fuente de vitaminas B1, B2 y PP	Sus semillas pueden provocar intolerancia o alergia y tener un excesivo efecto purgativo. A los niños es mejor darles kiwi después del primer/segundo año de edad.	Excelente fresco solo o en macedonia. Buen efecto en rodajitas para decorar tartas. Adecuado también para preparar helados o confituras.
	no:	puede causar alergia		
CALABACÍN **11 Kcal**	**sí**:	muy bajo contenido calórico; favorece la actividad intestinal	Las flores de calabacín tienen un contenido en vitamina A significativo que es casi inexistente en los calabacines.	Muy tempranos, los calabacines son buenos crudos; habitualmente, se cocinan hervidos, salteados, fritos o rellenos como ingredientes de numerosas recetas
	no:	bajo valor nutritivo		
ACHICORIA **12 Kcal**	**sí**:	bajo valor calórico	La achicoria es un término genérico para clasificar las hortalizas de hoja dentada. También se la conoce como lechuga verde amarga.	Si es muy temprana, cruda y cortada finamente para ensalada. O, bien, hervida y salteada con aceite, ajo y guindilla.
	no:	sabor amargo no siempre agradable		
PEPINO **14 Kcal**	**sí**:	bajo valor calórico	Los pepinos de forma más ahusada poseen un aroma más intenso, mientras que los más redondeados tiene un sabor más delicado y son también más digestibles.	Se consume crudo, en ensalada, como ingrediente de salsas frías o relleno como entrante. Excelente conservado en vinagre.
	no:	escaso contenido en vitaminas y sales minerales.		
ESCAROLA LISA Y RIZADA **16 Kcal**	**sí**:	aportan celulosa, vitamina A y oligoelementos	Las partes verdes son las más ricas en tocoferoles, sustancia que permite la absorción de la vitamina E, presente en aceites vegetales y en los frutos secos.	La escarola rizada se come siempre cruda en ensalada; la lisa también puede cocinarse y servirse como acompañamiento, sobre la *pizza* o para condimentar la pasta.
	no:	fácilmente digestible		

FRUTA

VERDURA

KCAL x 100 g (3,5 oz)	CARACTERÍSTICAS		CURIOSIDADES	EN LA COCINA
REPOLLO **19 Kcal**	**sí**:	rico en vitamina C	Su característico aroma se debe a la presencia de azufre. Para reducir el desagradable olor, se pone sobre la tapa un copo de algodón empapado con vinagre.	Esta variedad de col está indicada para los guisados y las sopas. Sus grandes hojas hervidas son ideales para rellenar.
	no:	aroma no siempre tolerado		
LECHUGA **19 Kcal**	**sí**:	aporta celulosa, vitamina A y oligoelementos	La lechuga es una de las verduras cultivadas más antiguas en la zona mediterránea. Se llama así por la sustancia lacticinosa presente en el cogollo.	Se usa sobre todo en ensalada, pero también es buena cocida. La hojas más grandes hervidas pueden rellenarse y cerrarse en forma de envoltorio.
	no:	puede ser difícil de digerir		
ALCACHOFA **22 Kcal**	**sí**:	rica en fibra y potasio	Crudas, las alcachofas mantienen activa la cinarina, sustancia que favorece la diuresis. Las variedades espinosas son buenas crudas, pero deben ser muy tempranas.	Hervidas, al horno, fritas, salteadas, rellenas: son muchas las maneras de cocinar las alcachofas, y después pueden usarse como guarnición, entrantes o como base de otras recetas.
	no:	notable porcentaje de descarte, hasta un 65%		
PIMIENTO VERDE **27 Kcal**	**sí**:	rico en vitamina C y vitamina A	La parte indigesta del pimiento está formada por la cera presente en la piel. Si esta se elimina, el pimiento será más digestible.	Se usa de distintas maneras: crudo en ensalada, relleno, en salsa para pasta o en conserva. A menudo se cocina con pimientos amarillos y rojos.
	no:	puede ser difícil de digerir		
RÚCULA Y JARAMAGO **28 Kcal**	**sí**:	rico en carotenos	Contiene un glucósido particular dotado de acción estimulante de la digestión; más elevado en el jaramago.	La rúcula puede comerse tanto cruda como cocida. El jaramago puede considerarse una hierba aromática.
	no:	sabor intenso no siempre agradable		
ESPÁRRAGOS **29 Kcal**	**sí**:	ricos en fibra; tienen propiedades diuréticas.	La aspargina es una sustancia presente sólo en este vegetal que le confiere un aroma característico, aunque no tiene propiedades nutritivas particulares.	Siempre se consumen hervidos, atados en forma de ramo, con las puntas fuera del agua. Una vez cocidos, se usan como entrantes, guarnición, tortas saladas, tortillas.
	no:	notable porcentaje de descarte, hasta el 45%		
ESPINACAS **31 Kcal**	**sí**:	ricas en ácido fólico	El ácido fólico favorece la renovación de las células de nuestro organismo; la celulosa estimula las funciones intestinales.	La hojas tempranas son perfectas para comer crudas en ensalada. Las espinacas pueden cocerse al vapor o hervidas en poquísima agua. Son ingrediente de numerosas recetas.
	no:	sólo el 1,4% de su contenido en hierro es absorbible		
COLES DE BRUSELAS **38 Kcal**	**sí**:	ricas en vitamina C y sustancias antioxidantes	Entre las variedades de col, poseen el mayor contenido en vitamina C: hasta 80 mg (0,0028 fl oz) por cada 100 g (3,5 oz). Sin embargo, en cocción, la cantidad se reduce.	Hervidas enteras y servidas después con aceite y sal, o cortadas por la mitad y pasadas por la sartén con mantequilla. Excelentes gratinadas al horno con besamel y queso.
	no:	aroma no siempre tolerado		
BRÉCOL **39 Kcal**	**sí**:	rico en vitamina C	Entre otras variedades, destacan la *Sprouting*, de color blanco y que se torna verde durante la cocción, y la *Calabrese*, de color verdoso.	Una vez hervido, puede comerse solo, gratinado al horno, para preparar tortas saladas o para condimentar la pasta.
	no:	aroma no siempre tolerado		

KCAL x 100 g (3,5 oz)	CARACTERÍSTICAS		CURIOSIDADES	EN LA COCINA
SANDÍA **15 Kcal**	**sí**:	tiene un gran poder refrescante	Su dulzura no deriva del azúcar, sino de sustancias aromáticas que, entre otras cosas, tienen una gran capacidad saciable.	Buena al natural, sola o en macedonia de frutas; óptima para granizados y sorbetes. Su piel recortada sirve para decorar.
	no:	aporta pocas vitaminas		
FRESA **20 Kcal**	**sí**:	rica en vitamina C	La alergia a las fresas se desarrolla más si se comen frutas poco maduras; las fresas aplastadas y azucaradas dan menos problemas alérgicos.	Perfectas para la preparación de dulces en general, desde tartas a helados, las fresas son ideales para transformar en confituras. Las frutas frescas, solas o en macedonia, son deliciosas.
	no:	puede provocar alergias		
GROSELLA **28 Kcal**	**sí**:	sí: rica en vitamina C	Su sabor acidulado se debe a la presencia de ácido málico, cítrico y tartárico. Puede ser blanca o negra; esta última se usa para hacer el Cassis.	Cruda en las macedonias de fruta, en las ensaladas o en racimo para decorar los platos. Se usa para mermeladas, gelatinas o para preparar bebidas refrescantes.
	no:	sabor áspero no siempre agradable		
CEREZA **38 Kcal**	**sí**:	refrescante y aromática	Dentro del hueso hay sustancias tóxicas, pero si, por error, se ingiere un hueso entero, no hay ningún peligro.	Excelente al natural. Ideal para preparar dulces en general, confituras, fruta en alcohol y licores.
	no:	escaso contenido en vitamina C		
GRANADA **63 Kcal**	**sí**:	refrescante	Contiene peleterina, sustancia útil para defenderse de los parásitos intestinales. Es una buena fuente de sales minerales.	Cuando está madura puede exprimirse como una naranja. Sus granos pueden comerse crudos en macedonia de fruta o en ensalada mixta.
	no:	incómoda de limpiar		
RÁBANO **11 Kcal**	**sí**:	bajo contenido calórico	Tiene un gusto ligeramente picante, pero existe también un rábano silvestre de sabor fuerte y muy picante.	Se consume crudo, entero o en láminas en ensaladas mixtas. Recortado y con distintas formas, se usa para decorar los platos.
	no:	sabor picante no siempre agradable		
ACELGA ROJA **19 Kcal**	**sí**:	bajo contenido calórico	Es una hortaliza pobre en principios nutritivos y rica en celulosa. Aconsejada por sus efectos depurativos.	Excelente en las sopas o hervida, cortada en rodajas y condimentada con aceite y limón y pasada por la sartén con mantequilla.
	no:	puede ser difícil de digerir		
TOMATE **20 Kcal**	**sí**:	rico en vitaminas A, C y licopenos	El tomate es la fuente más rica de la naturaleza en licopenos: cocido aporta todavía más. Por el contrario, las vitaminas A y C tienden a perderse con largas cocciones.	Verdura entre las más versátiles e ingrediente de innumerables recetas: para ensaladas, salsas, conservas y guisados. Buena la mermelada de tomates verdes.
	no:	puede provocar molestias a quien sufra de colitis		
PIMIENTO ROJO **31 Kcal**	**sí**:	rico en vitamina C	Contiene unos 166 mg (0,0058 oz) de vitamina C, la misma cantidad que el pimiento amarillo. Por este motivo se aconseja consumirlo crudo de vez en cuando.	Excelente crudo acompañando a otras verduras igualmente crudas o cortado finamente en ensalada. Ideal para los guisados de carne o pescado. Bueno relleno o al horno.
	no:	puede resultar difícil de digerir		

FRUTA

VERDURA

KCAL x 100 g (3,5 oz)	CARACTERÍSTICAS		CURIOSIDADES	EN LA COCINA
MELÓN DE INVIERNO **22 Kcal**	**sí**: muy refrescante **no**: puede resultar difícil de digerir		Las variedades invernales de melón se conservan toda la temporada a temperatura ambiente. Tienen la pulpa blanca y la piel amarilla o verde.	Se consume sobre todo crudo, solo o en macedonia. Ideal para preparar batidos refrescantes.
PERA **35-41 Kcal**	**sí**: muy digestible **no**: relativamente pobre en vitaminas		Junto a la manzana, es la fruta más adecuada para el destete de los niños gracias a su fácil digestión.	Buena tanto cocida como cruda, es muy versátil y por ello se usa mucho en pastelería para hacer tartas, cremas y compotas de fruta.
MANZANA **38-44 Kcal**	**sí**: muy digestible **no**: no es especialmente rica en vitaminas		Antaño, los médicos ingleses aconsejaban masticar una manzana hasta hacerla pasta por el efecto estimulante que producía en la salivación, que favorece la limpieza de los dientes.	Fruta siempre disponible, excelente cruda o cocida para preparar infinitos dulces. También puede servir como guarnición.
PIÑA **40 Kcal**	**sí**: contiene bromelina **no**: contenido vitamínico reducido		La bromelina es un enzima que ayuda en la digestión de las proteínas; hay que tener presente que el calor la destruye.	Servida fresca como postre ayuda en la digestión. Excelente en macedonia, ideal para preparar conservas: zumos, mermeladas y en almíbar.
UVA BLANCA **61 Kcal**	**sí**: rica en azúcares y flavonoides **no**: poco aconsejada en las dietas adelgazantes		Su contenido calórico es muy diverso según la variedad y el grado de maduración. Oscila entre las 25 y las 70 kcal por cada 100 g (3,5 oz).	La uva forma parte de nuestra alimentación desde hace cuatro mil años. Fruta valiosa y versátil en la cocina, tanto fresca como seca.
PLÁTANO **65 Kcal**	**sí**: rico en glúcidos y potasio **no**: poco aconsejado en las dietas adelgazantes		Respecto a otra fruta, aporta más calorías porque tiene menos cantidad de agua y una mayor presencia de azúcares y almidón.	Si se usa en las macedonias, la pulpa debe bañarse con zumo de limón para que no se oxide. Óptimo en la preparación de tartas y helados.
LICHI **70 Kcal**	**sí**: tiene un agradable aroma de rosa **no**: no es especialmente rico en vitaminas		Fruta originaria de China, de pulpa dulce y delicada con un sabor que recuerda vagamente al de la rosa.	Bueno fresco, excelente también en almíbar. En ambos casos se usa en macedonia de fruta o acompañando con helado de vainilla.
CASTAÑA **165 Kcal**	**sí**: elevado contenido de almidón **no**: difícil de digerir si no está bien cocida		Asadas, las castañas aportan 193 kcal; hervidas, 120, y secas, 287. La diferencia es debida a la mayor o menor concentración de almidón.	Las castañas son perfectas asadas. Muy usadas en pastelería en la preparación de cremas y tartas. Son famosos los *marron glacé*, es decir, castañas confitadas y glaseadas.
COCO **364 Kcal**	**sí**: sabor fresco y agradable **no**: rico en ácidos grados saturados		Muy calórico y, por lo tanto, muy nutritivo. Su valor nutricional se debe a la presencia de fibras y grasas.	Para picar es bueno fresco. Su leche es perfecta para cocinar el pescado, pero se usa sobre todo en pastelería. También puede encontrarse seco.

KCAL x 100 g (3,5 oz)	CARACTERÍSTICAS	CURIOSIDADES	EN LA COCINA
HINOJO **9 Kcal**	**sí**: bajo contenido calórico **no**: escaso contenido vitamínico	El aroma particular del hinojo deriva de una sustancia llamada anetol, presente sobre todo en las semillas, que se usan, principalmente, como especia.	Excelente crudo, junto a otras verduras también crudas o laminado finamente en ensalada. Bueno hervido y aliñado con aceite y limón, pasado por la sartén con mantequilla, gratinado o relleno.
ENDIBIA **18 Kcal**	**sí**: buena fuente de oligoelementos **no**: aroma amargo no siempre apreciado	Es un producto reciente, que apareció por primera vez en el mercado en París, en 1879. Su nacimiento se remonta a 1850, gracias a un campesino de Bruselas.	Buena cruda, en ensalada o con otras verduras también crudas. Excelente cocida, a la sartén o gratinada al horno.
APIO **20 Kcal**	**sí**: bajo contenido calórico **no**: escaso contenido vitamínico	Las creencias populares atribuían a esta hortaliza poderes afrodisíacos, pero no hay pruebas científicas que lo corroboren.	Muy versátil: usado tanto como aroma e ingrediente. Excelente junto a otras verduras crudas, en las ensaladas, en las sopas o gratinado al horno.
SETAS **22 Kcal**	**sí**: sabor muy selecto **no**: escaso contenido vitamínico	Comprobar que las setas sean comestibles. Contienen proteínas vegetales de escaso valor biológico.	Las setas son un ingrediente apreciado y sabroso, cocinado de distintas maneras dependiendo de la variedad. Los boletos secos son muy buenos.
COLIFLOR **25 Kcal**	**sí**: elevado poder antioxidante **no**: aroma no siempre agradable	Cocida aporta 44 kcal por cada 100 g (3,5 oz). Como todas las coles, tiene un elevado poder antioxidante y es rica en vitamina C.	Sus flores blancas, llamadas racimos o ramilletes, se cuecen, hervidas o al vapor: excelente condimentada con aceite y limón, pasada por la sartén y gratinada al horno.
CEBOLLA **26 Kcal**	**sí**: diurética **no**: aroma no siempre agradable	Es una de las hortalizas más antiguas: los egipcios ya le atribuían propiedades terapéuticas, especialmente por su acción diurética. También es un buen antioxidante.	Muy versátil: usada como aroma y como ingrediente. Es buena cruda o hervida para ensalada, en las sopas, en los guisados o rellena al horno.
PUERRO **30 Kcal**	**sí**: desarrolla una acción antioxidante **no**: aroma no siempre agradable	Se aconseja no eliminar la parte verde que, de hecho, es la mejor por su aporte vitamínico. En general, tiene propiedades similares a la cebolla.	Por su sabor acre, se usa sobre todo cocido. Como aroma en vez de la cebolla, en sopas o gratinado al horno.
BROTES DE SOJA **49 Kcal**	**sí**: ricos en vitaminas y sales minerales **no**: se estropean fácilmente	Se obtienen de las semillas de soja sumergidas en agua, cambiándola cada día, durante 3 días. El crecimiento prosigue en vasos con algodón hidrófilo mojado.	Se consumen crudos en ensalada, solos o mezclados con otras verduras. Al ser muy delicados, su posible cocción debe ser muy breve.
PATATA **85 Kcal**	**sí**: rica en almidón **no**: absorbe mucho los condimentos grasos	Puede sustituir el pan para quien esté a dieta: 100 g (3,5 oz) de patatas hervidas sin piel aportan 71 kcal frente a las 260 kcal del pan blanco.	La patata es una de las hortalizas más versátiles de la cocina: óptima hervida, en puré o frita. Una vez hervida, se usa de mil maneras, incluso en la masa del pan.

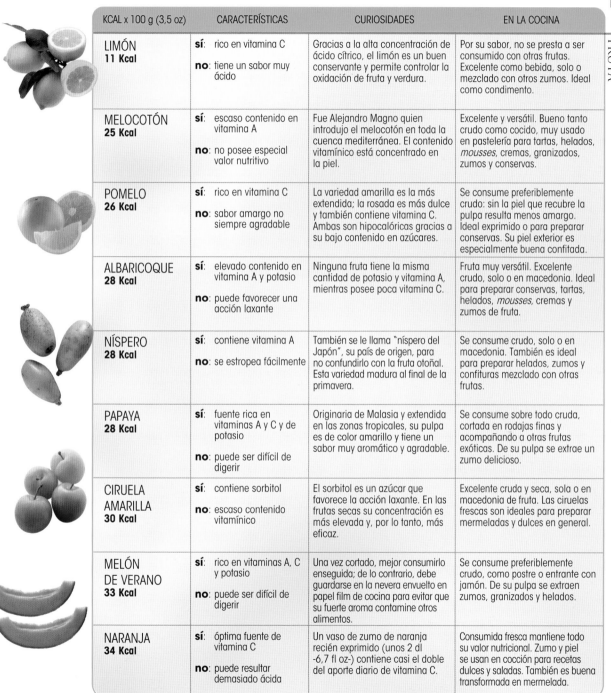

KCAL x 100 g (3,5 oz)	CARACTERÍSTICAS		CURIOSIDADES	EN LA COCINA
LIMÓN 11 Kcal	**sí**: rico en vitamina C **no**: tiene un sabor muy ácido		Gracias a la alta concentración de ácido cítrico, el limón es un buen conservante y permite controlar la oxidación de fruta y verdura.	Por su sabor, no se presta a ser consumido con otras frutas. Excelente como bebida, solo o mezclado con otros zumos. Ideal como condimento.
MELOCOTÓN 25 Kcal	**sí**: escaso contenido en vitamina A **no**: no posee especial valor nutritivo		Fue Alejandro Magno quien introdujo el melocotón en toda la cuenca mediterránea. El contenido vitamínico está concentrado en la piel.	Excelente y versátil. Bueno tanto crudo como cocido, muy usado en pastelería para tartas, helados, *mousses*, cremas, granizados, zumos y conservas.
POMELO 26 Kcal	**sí**: rico en vitamina C **no**: sabor amargo no siempre agradable		La variedad amarilla es la más extendida; la rosada es más dulce y también contiene vitamina C. Ambas son hipocalóricas gracias a su bajo contenido en azúcares.	Se consume preferiblemente crudo: sin la piel que recubre la pulpa resulta menos amargo. Ideal exprimido o para preparar conservas. Su piel exterior es especialmente buena confitada.
ALBARICOQUE 28 Kcal	**sí**: elevado contenido en vitamina A y potasio **no**: puede favorecer una acción laxante		Ninguna fruta tiene la misma cantidad de potasio y vitamina A, mientras posee poca vitamina C.	Fruta muy versátil. Excelente crudo, solo o en macedonia. Ideal para preparar conservas, tartas, helados, *mousses*, cremas y zumos de fruta.
NÍSPERO 28 Kcal	**sí**: contiene vitamina A **no**: se estropea fácilmente		También se le llama "níspero del Japón", su país de origen, para no confundirlo con la fruta otoñal. Esta variedad madura al final de la primavera.	Se consume crudo, solo o en macedonia. También es ideal para preparar helados, zumos y confituras mezclado con otras frutas.
PAPAYA 28 Kcal	**sí**: fuente rica en vitaminas A y C y de potasio **no**: puede ser difícil de digerir		Originaria de Malasia y extendida en las zonas tropicales, su pulpa es de color amarillo y tiene un sabor muy aromático y agradable.	Se consume sobre todo cruda, cortada en rodajas finas y acompañando a otras frutas exóticas. De su pulpa se extrae un zumo delicioso.
CIRUELA AMARILLA 30 Kcal	**sí**: contiene sorbitol **no**: escaso contenido vitamínico		El sorbitol es un azúcar que favorece la acción laxante. En las frutas secas su concentración es más elevada y, por lo tanto, más eficaz.	Excelente cruda y seca, sola o en macedonia de fruta. Las ciruelas frescas son ideales para preparar mermeladas y dulces en general.
MELÓN DE VERANO 33 Kcal	**sí**: rico en vitaminas A, C y potasio **no**: puede ser difícil de digerir		Una vez cortado, mejor consumirlo enseguida; de lo contrario, debe guardarse en la nevera envuelto en papel film de cocina para evitar que su fuerte aroma contamine otros alimentos.	Se consume preferiblemente crudo, como postre o entrante con jamón. De su pulpa se extraen zumos, granizados y helados.
NARANJA 34 Kcal	**sí**: óptima fuente de vitamina C **no**: puede resultar demasiado ácida		Un vaso de zumo de naranja recién exprimido (unos 2 dl -6,7 fl oz-) contiene casi el doble del aporte diario de vitamina C.	Consumida fresca mantiene todo su valor nutricional. Zumo y piel se usan en cocción para recetas dulces y saladas. También es buena transformada en mermelada.

KCAL x 100 g (3,5 oz)	CARACTERÍSTICAS		CURIOSIDADES	EN LA COCINA
CLEMENTINA **53 Kcal**	**sí**:	rica en vitamina C	Esta fruta es originaria de la hibridación del mandarino con el naranjo y como tal posee propiedades nutricionales muy similares a los dos cítricos de los que procede.	En general, se consume cruda, sola o en macedonia de fruta. La clementina exprimida rinde poco, pero su zumo es delicioso. No se usa demasiado en pastelería.
	no:	puede ser ácida		
MANGO **53 Kcal**	**sí**:	muy aromático y perfumado	En plena maduración, su piel pasa del verde al rojo y amarillo intensos. Su pulpa de color naranja es delicada y se estropea fácilmente.	Excelente crudo, cortado en rodajas y servido junto a otras frutas exóticas. Ideal para preparar zumos, batidos y confituras.
	no:	escaso valor vitamínico		
CAQUI **65 Kcal**	**sí**:	contiene vitamina A	Contiene elevadas dosis de tanino, razón por la cual, si no alcanza la maduración completa, resulta muy astringente.	Se consume crudo sólo cuando está bien maduro. También es muy bueno en la preparación de helados o *mousses* y de dulces en general.
	no:	cuando ya está maduro, se deteriora rápidamente		
MANDARINA **72 Kcal**	**sí**:	rica en vitamina C	Su piel contiene un terpeno especialmente aromático y característico, usado en la industria conservera y en la preparación de licores.	Excelente fresca en gajos, exprimida o en macedonia. Muy usada en pastelería, especialmente en la preparación de mermeladas y licores.
	no:	puede actuar como laxante		
AGUACATE **231 Kcal**	**sí**:	tiene un sabor delicado	Como el coco, las almendras, las nueces y las avellanas, el aguacate tiene un elevado contenido en grasas y, por lo tanto, en calorías.	Bueno untado en el pan, en ensaladas o para preparar salsas. Puesto que tiende a oxidarse fácilmente, hay que bañar su pulpa con zumo de limón.
	no:	poco adecuado para las dietas adelgazantes		
CALABAZA AMARILLA **18 Kcal**	**sí**:	rica en vitamina A	Nutricionalmente es más rica que el calabacín, su pariente más próximo. Aporta una notable cantidad de vitamina A, potasio y sales minerales en general.	Se consume cocida, en la preparación de sopas, de *risotto*, en el relleno de los *raviolis* y en puré, como guarnición o ingrediente de suflé.
	no:	sabor dulce no siempre agradable		
ZANAHORIA **35 Kcal**	**sí**:	rica en carotenos	El caroteno (provitamina A) es un factor indispensable para la reproducción de todos los epitelios, especialmente de la piel. Resiste al calor.	Crudas, hervidas, cocidas al vapor, asadas, usadas como aroma o ingrediente: la versatilidad de la zanahoria es bien conocida. Ideal en pastelería para tartas y tartaletas.
	no:	sabor herbáceo si está muy envejecida		

VERDURA

KCAL x 100 g (3,5 oz)	CARACTERÍSTICAS		CURIOSIDADES	EN LA COCINA
ARÁNDANOS **25 Kcal**	**sí**:	contienen vitamina C y A	Fruto silvestre, actualmente el arándano también se cultiva. El color violeta deriva de la presencia de pigmentos antocianos. Desarrolla una acción protectora de la retina.	Muy gustosos crudos, usados en la preparación de salsas agridulces y en pastelería. También se preparan deliciosas mermeladas y zumos.
	no:	no muy disponibles frescos		
FRAMBUESAS **34 Kcal**	**sí**:	contienen vitaminas C y A	Contienen ácido málico, útil para contrarrestar los resfriados y como reconstituyente para los niños. Tienen poder laxante.	Excelentes crudas, en macedonias o para decorar dulces. Muy usadas en pastelería, para tartas, helados, cremas y *mousses*.
	no:	de difícil conservación		

FRUTA

KCAL x 100 g (3,5 oz)	CARACTERÍSTICAS		CURIOSIDADES	EN LA COCINA
MORAS **36 Kcal**	**sí**: ricas en vitamina C	**no**: de difícil conservación	Pueden ser de zarza o de morera; las primeras maduran en los meses estivales y las segundas en junio. Ambas son ricas en vitamina C y antocianinas.	Se consumen frescas recién cogidas o se transforman en mermeladas y zumos. Muy usadas en pastelería como decoración e ingrediente.
CIRUELA ROJA **42 Kcal**	**sí**: contiene sorbitol	**no**: escaso contenido vitamínico	El sorbitol es un azúcar que favorece la acción laxante. En las frutas secas su concentración es más elevada y, por lo tanto, más eficaz.	Excelente cruda y seca, sola o en macedonia de fruta. Las ciruelas frescas son ideales para preparar mermeladas y dulces en general.
HIGO **47 Kcal**	**sí**: contiene vitamina A	**no**: las semillas pueden causar intolerancia y son laxantes	Seco, aporta 256 kcal por cada 100 g (3,5 oz) y tiene un contenido más elevado de sales minerales (calcio, potasio, fósforo, hierro).	Los higos son excelentes crudos, pelados y servidos como entrante con embutidos o para postres. Ideales para secarse y para la producción de mermeladas.
HIGO CHUMBO **53 Kcal**	**sí**: sabor aromático	**no**: escaso valor nutritivo	Planta grasa espontánea de la familia de los cactus. Sus frutas, jugosas y dulces, tienen una pulpa consistente.	Se consume preferentemente crudo, bien pelado y en rodajitas; también se come crudo y transformado en mermelada.
UVA NEGRA **61 Kcal**	**sí**: rica en azúcares y flavonoides	**no**: poco aconsejado en dietas adelgazantes	Los flavonoides tienen un elevado poder antioxidante: están presentes sobre todo en la piel y las semillas y, en mayor medida, en la uva negra.	La uva negra de mesa se consume cruda, en macedonia o para decorar dulces. Insólita pero sabrosa es la combinación con el queso.
ACHICORIA DE TREVISO **13 Kcal**	**sí**: contiene vitamina C	**no**: sabor amargo no siempre agradable	Tiene un color rojo violáceo y contiene principios amargos y aromáticos que, además de darle su característico sabor, facilitan la secreción de los jugos gástricos.	Excelente cruda en ensalada o a la sartén. Ingrediente ideal para *risotto* y sopas. También es buena para condimentar la pasta seca.
BERENJENA **18 Kcal**	**sí**: rica en fibra	**no**: escaso valor nutritivo	Hace un aporte calórico claramente escaso, pero hay que prestar atención al usar condimentos grasos ya que los absorbe muchísimo.	Tradicionalmente, esta hortaliza se ha usado mucho en Oriente Medio y en la cuenca mediterránea. Siempre se consume cocinada: a la barbacoa, frita o al horno.
REMOLACHA **19 Kcal**	**sí**: rica en sales minerales y oligoelementos	**no**: escaso contenido vitamínico	El color rojo-violáceo de esta raíz deriva de la betanina, un poderoso colorante natural (E-162) usado por la industria alimentaria.	Se consume habitualmente cocida, en ensalada con aceite y vinagre; excelente con anchoas. En algunos países se usa para teñir los huevos de Pascua.
COL LOMBARDA **20 Kcal**	**sí**: rica en vitamina C	**no**: aroma no siempre agradable	Como todas las coles, tiene un elevado poder antioxidante y desempeña una acción protectora sobre el organismo.	Puede comerse cruda, cortada muy finamente o asada un buen rato con mantequilla o aceite, especias y aromas. Excelente en las sopas de verdura.

FRUTA

VERDURA

ENTRANTES

- TORTA DE ESCAROLA Y FLORES DE CALABAZA
- ALCACHOFAS RELLENAS DE QUESO
- FARDOS DE LECHUGA Y ROBIOLA

ENSALADAS

- ENSALADA RIZADA EN COPA
- MEZCLA DE COL CRUDA
- CANÓNIGOS Y *MOZZARELLA*
- PAVO CON VERDURA Y FRUTA
- ENSALADA DE HIERBAS CON PULPO

PLATOS PRINCIPALES

- SOPA DE COL NEGRA
- *PAPPARDELLE* INTEGRALES
- TIMBALES DE BRÉCOL
- HOJALDRE DE CALABACINES
- *PIZZA* DE ESPINACAS Y HUEVO
- TORTA DE ACHICORIA

RECETAS EN VERDE

DULCES
- TARTA CREMOSA DE KIWI

15'
preparación

35'
cocción

ingredientes para 8 raciones
kcal por ración 301
- 2 DISCOS DE MASA DE HOJALDRE FRESCA
- 2 COGOLLOS GRANDES DE ESCAROLA
- 12 FLORES DE CALABAZA
- 2 CS DE ACEITE DE OLIVA VIRGEN EXTRA
- 3 DIENTES DE AJO
- UNA PIZCA DE GUINDILLA EN POLVO
- 2 HUEVOS ENTEROS Y 1 YEMA
- 40 G (1,41 OZ) DE QUESO DE OVEJA MUY CURADO RALLADO
- 1 CS DE SEMILLAS DE SÉSAMO
- SAL

utensilios útiles
- TARTERA DE 24-26 CM (9,44-10,23 PULG.) DE DIÁMETRO
- PAPEL DE HORNO

tipo de cocción
A LA SARTÉN
Y EN EL HORNO

TORTA DE ESCAROLA Y FLORES DE CALABAZA

ENTRANTE PARA OCHO PERSONAS O PLATO ÚNICO PARA CUATRO: ELEGIR VOSOTROS LA MANERA DE SERVIR ESTE HOJALDRE SABROSO Y RICO EN FIBRAS.

PASAR rápidamente las flores bajo el agua, eliminar el pistilo y reservar las más bonitas. Cortar la corola en tiritas. Mondar la escarola, separar las hojas con las manos, lavarla, escurrirla y picarla con una medialuna o un trinchante.

CALENTAR el aceite en una sartén, darle sabor con los dientes de ajo majados y, cuando empiecen a transparentarse, agregar la escarola; salar, añadir la guindilla y cocer durante 5 minutos.

ELIMINAR el ajo (si se desea conservarlo, aplastarlo bien con un tenedor para deshacerlo). Añadir las flores de calabaza y cocer 2-3 minutos más. Poner la escarola con las flores de calabaza en un cuenco. Incorporar los 2 huevos enteros y el queso de oveja; amalgamarlo todo bien.

RECUBRIR una tartera con papel de horno, disponer el primer disco de masa, agujerear la superficie y verter el compuesto de escarola. Nivelarlo y cubrir con el segundo disco de masa sellando los bordes. Agujerear de nuevo y pincelar con la yema batida con una gota de agua.

ESPOLVOREAR con el sésamo y cocer en el horno a 200 °C (392 °F) durante 25 minutos, aproximadamente. Dejar enfriar, cortar y servir decorando con los pistilos de las flores de calabaza.

POR QUÉ ES SALUDABLE

BATIDO RELAJANTE

Batir en primer lugar 3 tallos de apio y, a continuación, añadir 100 g (3,5 oz) de espinacas y un poco de perejil. Agregar un poco de agua. Las espinacas son ricas en magnesio, mineral que actúa en la producción, por parte de nuestro organismo, de serotonina, sustancia capaz de aliviar el mal humor

VINO BLANCO
SECO PERSISTENTE

VARIANTES APETITOSAS **1•** Sustituir la escarola por 800 g (28,2 oz) de calabacines, cortados en rodajitas y aplastados con el tenedor una vez cocidos. **2•** El resultado también es bueno con 4 endibias cocidas como la escarola.

30′
preparación

20′
cocción

**ingredientes para 4 raciones
kcal por ración 185**

- 4 ALCACHOFAS PEQUEÑAS
  CON LA PELUSILLA
- 150 G (5,29 OZ) DE QUESO BLANCO
  CREMOSO
- 1 LIMÓN
- 1 ZANAHORIA
- 1 RAMILLETE DE PEREJIL
- 1 FILETE DE ANCHOA EN ACEITE
- 3-4 ACEITUNAS NEGRAS
- 1 CS DE ACEITE DE OLIVA
  VIRGEN EXTRA
- 1 COGOLLO PEQUEÑO
  DE ACHICORIA ROJA
- SAL Y PIMIENTA

utensilios útiles
- HILO DE COCINA

tipo de cocción
HERVIR

ALCACHOFAS RELLENAS DE QUESO

ESTE SABROSO ENTRANTE SE SIRVE DE LAS PROPIEDADES DE LA ALCACHOFA, VALIOSO ALIMENTO CAPAZ DE CONTRARRESTAR EL COLESTEROL Y PROTEGER EL HÍGADO.

ELIMINAR las hojas externas y duras de las alcachofas llegando casi hasta el corazón. Cortar los extremos espinosos dejando el tallo y pelándolo con un cuchillo afilado; atar las alcachofas con hilo de cocina para mantenerlas juntas. Cocerlas durante 20 minutos, aproximadamente, en agua acidulada con zumo de limón.

MEZCLAR el queso con la zanahoria rallada (reservar un poco, condimentada con limón, para decorar) y con el perejil picado junto con la anchoa y las aceitunas, el aceite, sal y pimienta. Reservar.

ESCURRIR las alcachofas, eliminar el hilo, cortarlas longitudinalmente con cuidado, incluido el tallo. Eliminar los posibles pelos del interior y rellenarlas con la mezla de queso.

DISPONER en un plato las mitades de alcachofas rellenas, decorarlas con la zanahoria rallada restante y alternarla con hojas de achicoria. También pueden comerse frías: en este caso, si es más cómodo, cocer y preparar las alcachofas el día antes.

LA EXPERIENCIA ENSEÑA

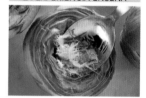

OTRA MANERA
DE RELLENAR
LAS ALCACHOFAS

Eliminar las hojas externas, las alcachofas pueden rellenarse enteras, abriendo ligeramente la flor e introduciendo un relleno a base de huevo, pan rallado y aromas variados, y cocinándolas a la sartén o en el horno. El tiempo de cocción varía en función del tamaño de las alcachofas: calcular entre 20 y 40 minutos. Si las hojas están muy duras y estropeadas, eliminarlas y usar sólo el fondo de las alcachofas, que podrá ser hervido y rellenado. Al ser la parte más tierna de esta verdura, requiere 15 minutos de cocción.

VINO BLANCO
JOVEN SECO

VARIANTES APETITOSAS 1• Otro tipo de relleno: amalgamar queso de cabra con rúcula y jamón cocido cortados. 2• O mezclar *mozzarella* desmenuzada con una picada de hierbas aromáticas mixtas y un chorrito de aceite de oliva virgen extra.

50′
preparación

30′
cocción

ingredientes para 4 raciones
kcal por ración 457

- 4 COGOLLOS DE LECHUGA
- 100 G (3,5 OZ) DE QUESO ROBIOLA
- 1 CEBOLLA ROJA
- 2 CS DE ACEITE DE OLIVA VIRGEN EXTRA
- 300 G (10,58 OZ) DE REQUESÓN
- 1 YEMA
- 3 CS DE PARMESANO RALLADO PARMIGIANO GRATTUGIATO
- 3 CS DE PAN RALLADO
- 1 DL (3,38 FL OZ) DE NATA FRESCA
- 1/2 LIMÓN
- 2-3 TALLOS DE CEBOLLINO
- SAL

utensilios útiles
- CESTA PARA LA COCCIÓN AL VAPOR
- HILO DE COCINA

tipo de cocción
COCER AL VAPOR

FARDOS DE LECHUGA Y ROBIOLA

PUEDEN SERVIRSE COMO ENTRANTE O COMO SEGUNDO SUSTITUYENDO A UN PLATO DE CARNE. EN ESTE ÚLTIMO CASO, ACOMPAÑAR CON ZANAHORIAS BABY A LA SARTÉN.

LIMPIAR los cogollos de lechuga y separar las hojas hasta alcanzar el corazón central. Lavar los corazones obtenidos, escurrirlos y abrir las hojas. Disponerlos boca abajo en la cesta para la cocción al vapor y cocerlos durante 5 minutos.

LAVAR las hojas separadas y cortarlas. Pelar la cebolla roja, picarla y dorarla en una sartén con el aceite de oliva virgen extra. Añadir la lechuga cortada, salar y dejar que absorba el sabor durante 5 minutos a fuego vivo hasta que el fondo de cocción se haya secado.

POR QUÉ ES SALUDABLE

AL VAPOR ES MEJOR
La cocción al vapor ayuda a preservar las propiedades nutricionales de las verduras, sobre todo a no perder el contenido en sales minerales que, de otro modo, irían a parar al agua de cocción. Cocer al vapor permite también mantener intactos los sabores evitando las grasas de cocción.

PONER en un cuenco la lechuga cocida con el requesón, el queso robiola, la yema, el parmesano, el pan rallado y una pizca de sal; remover bien hasta obtener un compuesto homogéneo. Abrir completamente los corazones de lechuga, rellenarlos con la mezcla de requesón y cerrar las hojas sobre el relleno fijándolas con hilo de cocina. Cocer al vapor durante 20 minutos.

MONTAR ligeramente la nata fresca mezclándola con unas gotas de zumo de limón, una pizca de sal y el cebollino cortado. Servir los corazones de lechuga con la salsa de nata ácida.

VINO BLANCO

VARIANTES APETITOSAS 1• Para obtener un relleno más sabroso, añadir al sofrito de cebolla 2 lonchas de jamón cocido cortado en tiras. 2• En lugar de la salsa a la nata, servir con una salsa más ligera de tomate, calentada y condimentada con un poco de sal y pimienta.

15′ preparación

2′ cocción

ENSALADA RIZADA EN COPA

IDEA REFINADA Y LIGERA, IDEAL COMO GUARNICIÓN DE CARNES BLANCAS ASADAS: UN VERDADERO CÓCTEL DE VITAMINAS, SALES MINERALES Y FIBRA.

ingredientes para 4 raciones
kcal por ración 149 (pan incluido)
- 100 G (3,5 OZ) DE LECHUGA RIZADA ROJA
- 100 G (3,5 OZ) DE HIERBAS SILVESTRES MIXTAS
- 1 COGOLLO PEQUEÑO DE LECHUGA
- 1 GRANADA MADURA
- 4 CS DE ACEITE DE OLIVA VIRGEN EXTRA
- 2 CS DE VINAGRE BALSÁMICO
- 1 CT DE MOSTAZA DE DIJON
- 2 REBANADAS DE PAN DE MOLDE
- SAL Y PIMIENTA

utensilios útiles
- MOLDE PEQUEÑO EN FORMA DE CORAZÓN

tipo de cocción
TOSTAR

LAVAR la lechuga rizada, las hierbas mixtas y la lechuga normal; escurrirlas, secarlas delicadamente para no estropear las hojas y pasarlas a una fuente. Reservarlas hasta el momento de servir.

PARTIR por la mitad la granada, desgranarla y poner los granos en un cuenco. Emulsionar en un vaso, batiendo delicadamente con un tenedor, 2 cs de aceite con el vinagre balsámico, la mostaza, sal y pimienta hasta obtener un salsa homogénea.

RECORTAR las rebanadas de pan de molde con un molde en forma de corazón y tostarlas en el horno durante 2 minutos (o en la tostadora o en una plancha caliente).

MEZCLAR la vinagreta a la mostaza con la granada. A continuación, condimentar la ensalada con el aceite restante y distribuirla en 4 copas de cristal o en escudillas de cerámica. Finalmente, verter por encima la vinagreta con la granada, acompañar con el pan tostado y servir.

LA EXPERIENCIA ENSEÑA

VINAGRETA O *CITRONETTE*

Con este nombre se definen las salsas obtenidas de la emulsión de aceite, sal, pimienta y otros posibles aromas con vinagre (vinagreta) o zumo de limón (citronette). En la foto: una vinagreta hecha con aceite de oliva virgen extra, vinagre de vino blanco, semillas de mostaza y hojitas de tomillo fresco; para lograr una emulsión perfecta, verter los ingredientes en un tarro de cristal, cerrarlo y agitarlo bien. Tendréis una salsa excelente para aliñar ensaladas o verduras asadas.

VINO TINTO SECO JOVEN

! VARIANTES APETITOSAS 1• Si no es temporada de granadas, podéis utilizar una manzana, cortada en dados y sumergida en agua acidulada con zumo de limón para que no ennegrezca. 2• O podéis añadir zanahoria y nabos en vinagre también cortados en daditos.

15′
preparación

10′
cocción

ENSALADA DE COL CRUDA

LA COL ES UN CONCENTRADO DE SALUD Y NOS REGALA ESTA GUARNICIÓN, UNA VERDADERA FUENTE DE VITAMINA C, IDEAL CON QUESOS FRESCOS O HUEVOS COCIDOS.

ingredientes para 4 raciones
kcal por ración 60
- 6 HOJAS TIERNAS DE BERZA
- 1 TROZO DE REPOLLO BLANCO
- 1 TROZO DE COL LOMBARDA
- 1 HUEVO
- 125 G (4,4 OZ) DE YOGUR NATURAL ENTERO
- 1 CS DE MOSTAZA DE DIJON
- SAL Y PIMIENTA

COCER el huevo: ponerlo en una cazuela pequeña con agua fría, llevar a ebullición y contar 10 minutos. Enfriarlo bajo el grifo, descascararlo y reservarlo.

CORTAR muy finamente las hojas tiernas de berza, el repollo blanco y la col lombarda lavados y escurridos; secarlos delicadamente con un paño. Pasar los tres tipos de col a una fuente.

POR QUÉ ES SALUDABLE

BATIR el huevo cocido cortado con el yogur, la mostaza de Dijon, una pizca de sal y otra de pimienta. Pasar la salsa obtenida a un cuenco, espolvorear con mostaza en grano y servirla, aparte, junto con la ensalada de coles espolvoreada con pimienta molida.

LA COL

Sus virtudes se conocen desde hace tiempo: cruda, es fuente de vitamina C, pero hay que tener presente que con la cocción esta tiende a desaparecer. En cualquier caso, ya sea cocida o cruda, la col es el alimento más eficaz en la prevención del cáncer de colon.

SI se desea, se puede mezclar la salsa de yogur con las verduras. La salsa se puede preparar también el día anterior y mantenerla en la nevera en un cuenco cubierto con papel film de cocina o en un recipiente adecuado. Poco antes de servir, decorar la salsa con unas semillas de mostaza.

utensilios útiles
- BATIDORA

tipo de cocción
EN LA CAZUELA

VINO TINTO SECO

VARIANTES APETITOSAS 1• Mezclar las coles con 1 hinojo crudo cortado finamente. 2• O añadir patatas hervidas cortadas en rodajas. 3 • O, también, zanahorias crudas ralladas.

25′ preparación

20′ cocción

CANÓNIGOS Y *MOZZARELLA*

HE AQUÍ UNA ENSALADA NUTRITIVA PROPUESTA COMO PLATO ÚNICO. PARA COMPLETAR LA COMIDA LIGERA, PODÉIS SERVIR UNA MACEDONIA CON HELADO.

ingredientes para 4 raciones
kcal por ración 410
- 300 G (10,58 OZ) DE CANÓNIGOS
- 20 BOLITAS DE *MOZZARELLA*
- 400 G (14 OZ) DE ZANAHORIAS TEMPRANAS
- 400 G (14 OZ) DE JUDÍAS VERDES
- 10 RÁBANOS
- 2-3 CS DE HARINA BLANCA
- 2 HUEVOS
- 50 G (1,76 OZ) DE PAN RALLADO
- ABUNDANTE ACEITE PARA FREÍR
- 4 CS DE ACEITE DE OLIVA VIRGEN EXTRA
- 2 CT DE VINAGRE BALSÁMICO
- SAL

utensilios útiles
- ESPUMADERA O CUCHARÓN AGUJEREADO
- CESTA PARA LA COCCIÓN AL VAPOR

tipo de cocción
COCER AL VAPOR Y FREÍR

RASPAR y despuntar las zanahorias, lavarlas, cortarlas por la mitad longitudinalmente y, después, en trocitos. Limpiar las judías verdes eliminando los filamentos y las puntas, lavarlas y cortarlas por la mitad en diagonal. Cocer zanahorias y judías verdes al vapor durante 10 minutos, aproximadamente.

LAVAR, escurrir y secar los canónigos. Limpiar los rábanos y cortarlos en rodajas. Pasar ambas verduras a una ensaladera con las zanahorias y las judías verdes.

ENHARINAR las bolitas de *mozzarella*, pasarlas por los huevos batidos y por el pan rallado para que queden totalmente recubiertas del mismo; freírlas en abundante aceite muy caliente. Cuando se hayan dorado uniformemente, sacarlas con la espumadera y dejarlas en papel absorbente de cocina para eliminar el exceso de aceite.

EMULSIONAR en un bol el aceite de oliva virgen extra con el vinagre balsámico y la sal. Condimentar la ensalada con la salsa.

COMPONER los platos disponiendo la ensalada en primer lugar y la *mozzarella* frita después. Servir enseguida.

ATENTOS A LA *MOZZARELLA*

La mozzarella empanada tiende a perder agua, rompiéndose durante la fritura. Para evitar este inconveniente, es mejor utilizar mozzarella poco acuosa. O salarla en crudo, ponerla en el colador durante 10-15 minutos y secarla bien con papel de cocina antes de enharinarla. Otra posibilidad es la de utilizar el queso hilado para pizza (el sustituto de la mozzarella más extendido), cortado en daditos.

VINO BLANCO SECO JOVEN

VARIANTES APETITOSAS 1• Sustituir la *mozzarella* frita por cuadraditos de queso curado, tipo asiago, envueltos en una tira de jamón cocido ahumado que fijaremos con un palillo de madera.
2• En lugar de los canónigos, puede usarse otro vegetal verde.

20'
preparación

20'
cocción

PAVO CON VERDURA Y FRUTA

ESTA SABROSA ENSALADA ES UN PLATO ÚNICO FRESCO Y LIGERO. TAMBIÉN ES UNA RICA FUENTE DE VITAMINAS Y SALES MINERALES.

ingredientes para 4 raciones
kcal por ración 276

- 4 FILETES DE PAVO DE 150 G (5.29 OZ) CADA UNA
- 1 PEPINO
- 1 BUEN MANOJO DE JARAMAGO
- 4 CS DE ACEITE DE OLIVA VIRGEN EXTRA
- 1 CHALOTA
- 1 DL (3,38 FL OZ) DE VINO BLANCO SECO
- 1 NARANJA
- 1 CIDRA O 1 LIMÓN GRANDE
- 5 CS DE MOSTAZA RÚSTICA
- SAL Y PIMIENTA

PELAR parcialmente el pepino, cortarlo en rodajitas finas con el cortador de trufas, salarlo y ponerlo en el colador hasta que pierda el agua amarga. Escaldar durante 1 minuto la mitad del jaramago en agua hirviendo, escurrirlo bien y disponerlo sobre los 4 filetes de pavo. Salpimentar y enrollar la carne formando unos cilindros que fijaremos con hilo de cocina o palillos de madera.

CALENTAR 2 cs de aceite con la chalota cortada por la mitad, dejar que absorba el sabor, agregar los rollitos, dorarlos por todas partes, bañarlos con el vino, salpimentar, tapar y cocer a fuego bajo durante 20 minutos, aproximadamente.

SACAR los rollitos de la sartén y dejarlos enfriar. Mientras tanto, pelar la naranja y la cidra con la ayuda de un cuchillo de cerámica o con otro bien afilado. Dividir los cítricos en gajos eliminando la piel blanca. Recoger el zumo en un bol.

VERTER el aceite restante y la mostaza en el mismo bol y emulsionarlo todo con un tenedor. Disponer los pepinos en los platos, los gajos de naranja y cidra, los rollitos cortados en rodajas y el jaramago restante. Condimentar con la salsa de mostaza y servir.

LA ELECCIÓN ADECUADA

¿RÚCULA O JARAMAGO?

La primera, Eruca sativa, es un ingrediente para ensaladas, de hojas ovaliformes, poco calórica (sólo 12 kcal por cada 100 g -3,5 oz-), discreta fuente de vitamina A y capaz de desarrollar una acción estimulante de la digestión. El efecto es aún mayor en el jaramago o Diplotaxis tenuifolia, reconocible por sus hojas alargadas y, sobre todo, por su sabor picante. Se considera una hierba aromática, presente en ensaladas de hierbas silvestres. Mejor usarlo en pequeñas cantidades porque tiene un sabor muy concentrado.

utensilios útiles
- CORTADOR DE TRUFAS
- CUCHILLO DE CERÁMICA

tipo de cocción
A LA SARTÉN

VINO ROSADO JOVEN SECO

VARIANTES APETITOSAS 1• En lugar de los rollitos de pavo, servir esta ensalada con tajaditas finas de lomo de cerdo asado a la parrilla o a la plancha. 2• O acompañarla con filetes de pescadilla al vapor.

20'
preparación

30'
cocción

ENSALADA DE HIERBAS CON PULPO

CARNOSO Y SABROSO, ESTE MOLUSCO SE MEZCLA A MENUDO CON VERDURAS: UN CLÁSICO ES EL QUE SE SIRVE CON PATATAS, Y MENOS CALÓRICO EL SERVIDO CON ENSALADA.

ingredientes para 4 raciones
kcal por ración 235

- 250 G (8,8 OZ) DE HIERBAS SILVESTRES (DIENTE DE LEÓN, RÚCULA SILVESTRE, BERRO, LECHUGA DE HOJA DE ROBLE, LECHUGA *LOLLO*, CANÓNIGOS, PIMPINELA, HINOJO SILVESTRE)
- 1 PULPO LIMPIO DE 1 KG (2,2 LB), APROXIMADAMENTE
- 1 HOJA DE LAUREL
- 1 CS DE VINAGRE BLANCO
- 1 TALLO DE APIO
- 3 FILETES DE ANCHOA EN ACEITE
- 4 CS DE ACEITE DE OLIVA VIRGEN EXTRA
- SAL Y PIMIENTA

utensilios útiles
- PELADOR DE PATATAS

tipo de cocción
EN LA CAZUELA

LIMPIAR el pulpo, eliminar la boca central, pelarlo y cocerlo en agua hirviendo durante 25-30 minutos, aproximadamente. Añadir al agua de cocción el laurel y el vinagre. Escurrir el pulpo, eliminar posibles restos de piel y cortar finamente los tentáculos. Reservar.

LAVAR el apio, eliminando los filamentos con el pelador de patatas, y picarlo junto con los filetes de anchoa bien escurridos. Pasar la picada a un bol, agregar 2 cs de aceite, una pizca de sal y otra de pimienta.

LAVAR, escurrir y secar las hierbas, ponerlas en un cuenco y condimentarlas con el aceite restante. Remover bien y distribuir la ensalada en los platos.

DISPONER encima las hojas, distribuyéndolas a partes iguales, y los trozos de pulpo templados. Bañar con la salsa de apio y anchoas y pimienta molida. Servir enseguida.

POR QUÉ ES SALUDABLE

BEBIDA DEPURATIVA

Entre comidas, probar este batido de pepinos y manzana: tiene un alto poder refrescante, depura y ayuda a remineralizar el organismo. Para llenar 2 vasos: batir en este orden la pulpa de 2 manzanas verdes, 200 g (7 oz) de melón blanco y 1 pepino cortado con la piel.

VINO BLANCO SECO FRESCO DELICADO

VARIANTES APETITOSAS 1• También es muy buena la ensalada con langostinos hervidos durante 5 minutos, pelados y cortados por la mitad longitudinalmente. 2• En lugar de la ensalada, servir un corazón de apio blanco, cortado finamente con sus hojas.

⟳ **15'**

preparación
+12 h de remojo

⟳ **60'**

cocción

SOPA DE COL NEGRA

LA COL NEGRA SE PUEDE CONSIDERAR UN ANTIBIÓTICO NATURAL, MEJORADO AÚN MÁS CON LA ESPELTA Y LAS JUDÍAS, COMO EN ESTE PLATO.

ingredientes para 4 raciones
kcal por ración 409 (pan incluido)

- 500 G (17,6 OZ) DE COL NEGRA
- 100 G (3,5 OZ) DE JUDÍAS BLANCAS TIPO LA GRANJA
- 100 G (3,5 OZ) DE ESPELTA
- 1 TALLO DE APIO
- 1 PUERRO
- 1 RAMITA DE ROMERO
- 1 DIENTE DE AJO
- 3 CS DE ACEITE DE OLIVA VIRGEN EXTRA
- 1 GUINDILLA ROJA PICANTE
- 1 DL (3,38 FL OZ) DE PURÉ DE TOMATE
- 200 G (7 OZ) DE REBANADAS DE PAN CASERO
- SAL Y PIMIENTA

utensilios útiles
- PELADOR DE PATATAS

tipo de cocción
EN LA CAZUELA

PONER en remojo por separado y en agua fría las judías y la espelta. Dejar 12 horas.

LAVAR la col negra, separar los tallos y trocear las hojas. Eliminar los filamentos de los tallos con la ayuda del pelador de patatas; limpiar también el apio y el puerro, eliminando la parte verde de este último, y cortarlo todo finamente. Picar las hojas de romero con el diente de ajo.

CALENTAR en una cazuela 1 cs de aceite y agregar la picada de ajo y romero y la guindilla entera dejándolos un momento a fuego alto. A continuación, incorporar la col, los puerros y el apio y cocer 2 minutos, aproximadamente, removiendo; salar y eliminar la guindilla. Verter 1 l (33,8 fl oz) de agua hirviendo, las judías y la espelta escurridas.

AÑADIR el puré de tomate y dejar cocer, con el recipiente tapado, durante 55 minutos, aproximadamente. Servir la sopa de col negra bien caliente, acompañando con rebanadas de pan tostado, regando con el aceite restante crudo y pimienta negra molida al instante.

LA ELECCIÓN ADECUADA

LA "RIBOLLITA"

La col negra, o col toscana, se reconoce porque, a diferencia de las otras variedades, no tiene una forma esférica, sino hojas alargadas y rugosas, de un color verde muy oscuro; tiene una consistencia notable y un sabor único, asilvestrado, que recuerda al del brécol. Es el ingrediente principal, junto con las judías, de la "ribollita toscana": se recubre la sopa cocida con cebollas cortadas en aros, se vierte un buen chorro de aceite de oliva virgen extra, y se "ribolle" (hervir de nuevo) en el horno a 180 ºC (356 ºF) hasta que se dore la superficie.

VINO TINTO
SECO ARMÓNICO

VARIANTES APETITOSAS **1•** Esta sopa se sirve normalmente sin queso, pero, si os apetece, podéis añadir queso de oveja en virutas. **2•** La versión sin espelta y sólo con judías es la receta más clásica.

PAPPARDELLE
INTEGRALES

50' preparación

10' cocción

LAS SUSTANCIAS AROMÁTICAS DE LA ALBAHACA APORTAN FRAGANCIA Y SABOR A LAS *PAPPARDELLE* Y SON UNA VALIOSA FUENTE DE ANTIOXIDANTES NATURALES.

ingredientes para 4-5 raciones
kcal por ración 472-377

- 50 G (1,76 OZ) DE ALBAHACA
- 4 CS DE ACEITE DE OLIVA VIRGEN EXTRA
- 1 DIENTE DE AJO
- 2 TOMATES SECOS EN ACEITE
- 1 PIZCA DE GUINDILLA PICANTE
- 30 G (1 OZ) DE PARMESANO RALLADO
- SAL

para la pasta

- 250 G (8,8 OZ) DE HARINA BLANCA
- 150 G (5,29 OZ) DE HARINA INTEGRAL
- 4 HUEVOS
- SAL

utensilios útiles

- SI ES POSIBLE, MÁQUINA PARA HACER PASTA
- RUEDA DENTADA
- BATIDORA

tipo de cocción
EN LA CAZUELA

PREPARAR la pasta: poner en la superficie de trabajo las dos harinas tamizadas junto con una pizca de sal, hacer un "volcán" y descascarar los huevos en el centro. Trabajarlo todo hasta obtener una masa lisa. Separar un trocito y estirarlo con la ayuda de la máquina para pasta (o un rodillo).

ELABORAR varias hojas finas y recortarlas longitudinalmente con la rueda dentada extrayendo las *pappardelle*. Enharinarlas, disponerlas en una bandeja recubierta con un paño de lino y reservarlas.

BATIR rápidamente la albahaca (reservando unas hojas para decorar) con el aceite, el ajo, los tomates secos cortados, la sal y una pizca de guindilla. Pasar la salsa a una fuente y añadir 1-2 cs del agua de cocción de la pasta. Hervir las *pappardelle* en abundante agua salada durante 10 minutos. Escurrir la pasta *al dente* y verterla en la fuente con el condimento ya listo.

REMOVERLO todo bien, espolvorear con el parmesano, decorar con las hojas de albahaca reservadas y servir enseguida.

LA EXPERIENCIA ENSEÑA

CUESTIÓN DE HARINA

Las cantidades indicadas para la pasta integral son aproximadas: si la masa resultara demasiado seca, añadid agua. Las dosis varían en función del tamaño de los huevos y al grado de absorción de la harina. Una vez alcanzada la consistencia justa, será más fácil estirar la pasta y extraer las pappardelle *con la rueda dentada.*

VINO BLANCO SECO

VARIANTES APETITOSAS 1• En lugar de la albahaca, se puede usar rúcula silvestre. 2• Son originales las *pappardelle* al cacao. Para la masa: 400 g (14 oz) de harina blanca, 4 huevos y 40 g (1,4 oz) de cacao amargo. Condimentar con jengibre picado cocido durante 1 minuto en mantequilla fundida.

20′ preparación

35′ cocción

ingredientes para 4 raciones
kcal por ración 295

- 700 G (24.7 OZ) DE BRÉCOL
- 6 FILETES DE ANCHOA
  EN ACEITE
- 2 CS DE ACEITE DE OLIVA
  VIRGEN EXTRA
- 2 DL (6,7 FL OZ) DE NATA FRESCA
- 1 ZANAHORIA
- 3 HUEVOS
- 10 G (0,35 OZ) DE MANTEQUILLA
- SAL Y PIMIENTA

utensilios útiles

- CESTA PARA LA COCCIÓN
  AL VAPOR
- MOLDES DE PUDÍN
- BATIDORA

tipo de cocción
AL VAPOR
Y EN EL HORNO

TIMBALES DE BRÉCOL

UN PLATO ÚNICO SABROSO Y AL MISMO TIEMPO SALUDABLE: PUEDE ACOMPAÑARSE CON UNA GUARNICIÓN DE ZANAHORIA CRUDA RALLADA.

DIVIDIR el brécol en ramilletes, enjuagarlos, ponerlos en la cesta para la cocción al vapor dispuesta a su vez en una cazuela con poca agua hirviendo. Tapar, cocer 10 minutos y dejar enfriar.

MIENTRAS TANTO, poner las anchoas desmenuzadas en una pequeña sartén con el aceite y dejar que se deshagan a fuego bajo y removiendo a continuación. Añadir la mitad de la nata y dejar cocer 1-2 minutos. Reservar esta salsa. Raspar la zanahoria, cortarla en juliana y escaldarla 1-2 minutos.

BATIR el brécol (reservar 4 ramilletes para decorar) con la nata restante, los huevos, sal y pimienta. Verter el compuesto en 4 moldes untados con mantequilla, ponerlos en una fuente y verter agua hasta cubrir la mitad de los mismos. Introducir en el horno a 200 ºC (392 ºF) durante 20 minutos, aproximadamente.

DEJAR enfriar antes de desmoldar. Disponer los timbales en un plato de presentación, verter la salsa de anchoas por encima, decorar con los ramilletes reservados y la zanahoria, y servir.

PASTA Y BRÉCOL

Un clásico de la cocina de la región italiana de Puglia, en versión rápida, para lograr un resultado igualmente sabroso. Para 4 raciones: cocer en agua hirviendo y durante 5 minutos 350 g (12,34 oz) de ramilletes de brécol congelados, añadir 350 g (12,34 oz) de pasta en formato orecchiette y dejar cocer. Mientras tanto, calentar en una sartén 2 cs de aceite y dorar 6-7 filetes de anchoa desmenuzada y 1 guindilla picante. Escurrir la pasta y verterla en la sartén. Dejar que absorba el sabor a fuego vivo un instante, bañar con un poco más de aceite y servir.

VINO BLANCO
SECO FRESCO

VARIANTES APETITOSAS 1• Siguiendo el procedimiento de esta receta, podéis preparar otros timbales de verdura, por ejemplo con calabacines. 2• O prepararlos con patatas y cebollas, añadiendo también 80 g (2,82 oz) de jamón cocido cortado en tiras.

HOJALDRE DE CALABACINES

FÁCIL DE PREPARAR Y BONITO PARA PRESENTARLO EN UN BUFÉ O PARA SERVIR COMO PLATO ÚNICO

 30′
preparación

 45′
cocción

ingredientes para 4 raciones
kcal por ración 380

- 1 ROLLO DE HOJALDRE FRESCO
- 600 G (21,16 OZ) DE CALABACINES CON SU FLOR
- 2 CS DE ACEITE DE OLIVA VIRGEN EXTRA
- 1 DIENTE DE AJO
- 2 CEBOLLETAS
- 1 MANOJO DE PEREJIL
- 2 HUEVOS
- 1/4 L (8,5 FL OZ) DE NATA FRESCA
- 50 G (1,76 OZ) DE PARMESANO RALLADO
- SAL Y PIMIENTA

utensilios útiles

- MOLDE DESMONTABLE DE 20 CM (7,87 PULG.) DE DIÁMETRO

tipo de cocción
A LA SARTÉN
Y EN EL HORNO

DESPUNTAR los calabacines y cortarlos en rodajas; eliminar el pistilo de las flores y reservarlas. Calentar en una sartén el aceite con el ajo y las cebolletas picadas; cuando se tornen transparentes, agregar los calabacines y dorarlos 10 minutos a fuego alto. Salpimentar, añadir el perejil picado y las flores de calabacín deshebradas; mantener al fuego 2-3 minutos más.

RECUBRIR una tartera con una hoja de papel de horno y disponer el hojaldre dejando que sobresalga. Agujerear el fondo de la pasta con un tenedor y dejar la tartera en la nevera.

BATIR los huevos en un cuenco con la nata y el parmesano, y añadir el compuesto a las verduras; remover y rectificar de sal y pimienta. Verter el preparado en el hojaldre y llevar la pasta que sobresale hacia el centro de la tarta para que cubra una parte del relleno.

COCER la tarta en el horno, precalentado a 200 °C (392 °F), durante 30 minutos, aproximadamente, hasta que el hojaldre esté cocido y dorado. Dejar enfriar la tarta antes de servir.

 VINO BLANCO SECO

VARIANTES APETITOSAS 1• Podéis sustituir los calabacines por otras verduras, como espinacas salteadas y picadas o alcachofas hervidas. 2• O pueden usarse verduras variadas (zanahorias, hinojos, cebolla, patatas, judías), cocinadas a la sartén con aceite y sal.

20′
preparación

20′
cocción

ingredientes para 4 raciones
kcal por ración 787
- 500 G (17,6 OZ) DE MASA DE PAN
- 200 G (7 OZ) DE ESPINACAS
  FRESCAS
- 4 HUEVOS
- 6 CEBOLLETAS
- 2 CS DE ACEITE DE OLIVA
  VIRGEN EXTRA
- 150 G (5,29 OZ) DE QUESO
  EMMENTAL
- 12 ACEITUNAS NEGRAS
  DESHUESADAS
- 2-3 RAMITAS DE TOMILLO
  FRESCO
- SAL Y PIMIENTA

utensilios útiles
- RODILLO
- MOLDE DE 26 CM (10,23 PULG.)
  DE DIÁMETRO

tipo de cocción
A LA SARTÉN
Y EN EL HORNO

PIZZA DE ESPINACAS Y HUEVO

EN ESTE PLATO HAY TODOS LOS INGREDIENTES PARA UNA COMIDA COMPLETA, AÑADIENDO TAMBIÉN UNA FRUTA DE POSTRE.

PELAR las verduras, cortar las espinacas y laminar finamente las cebolletas a lo largo. Calentar 1 cs de aceite en una sartén antiadherente, agregar las cebolletas, salpimentar y añadir las espinacas. Tapar y dejar cocer 5 minutos. Destapar y dejar que el compuesto se seque a fuego vivo.

ESTIRAR la masa con el rodillo y disponerla en el molde untado con el aceite restante. A continuación, distribuir por encima las cebolletas y las espinacas, cubrir con el queso emmental rallado, distribuir las aceitunas e introducir en el horno, precalentado a 220 °C (428 °F), durante 10-12 minutos.

EXTRAER la tartera del horno y descascarar los huevos directamente sobre la *pizza*, distanciados entre sí, de manera que cada porción tenga su huevo. Espolvorear con las hojitas de tomillo y reintroducir en el horno durante 5-6 minutos. Servir la *pizza* bien caliente cortada en cuatro trozos.

LA IDEA RÁPIDA

TOSTADAS AL APIO

Calentar 2 cs de aceite de oliva virgen extra, añadir 150 g (5,29 oz) de apio en rodajitas finas, bañar con 1 dl (3,38 fl oz) de vino y dejar cocer a fuego bajo durante 3 minutos, aproximadamente. Disponer 4 rebanadas de pan casero tostadas sobre una gran fuente, distribuir el apio por encima, agregar perejil picado y cubrir con trocitos de queso para fundir. Poner bajo el grill 1-2 minutos, espolvorear con pimienta molida y servirlas bien calientes.

VINO BLANCO
SECO AFRUTADO

VARIANTES APETITOSAS 1• Cocer 2-3 alcachofas cortadas en gajos finos en una sartén con aceite, ajo y perejil; ponerlas sobre la masa para *pizza* ya estirada, cubrir con *mozzarella* e introducir en el horno a 220 °C (428 °F) durante 10-12 minutos. 2• En lugar de las alcachofas podéis utilizar judías verdes troceadas y hervidas.

25′ preparación

35′ cocción

TORTA DE ACHICORIA

TORTA SALADA CON UN SABOR AGRADABLEMENTE AMARGO GRACIAS A LA PRESENCIA DE LA ACHICORIA *CATALOGNA* QUE, ADEMÁS, APORTA VITAMINA A, SALES MINERALES Y FIBRA.

ingredientes para 6 raciones
kcal por ración 422
- 700 G (24.7 OZ) DE ACHICORIA *CATALOGNA*
- 1 CS DE ACEITE DE OLIVA VIRGEN EXTRA
- 1 GUINDILLA ROJA PICANTE
- 2 CEBOLLAS MEDIANAS
- 10-12 ACEITUNAS NEGRAS DESHUESADAS
- 1 HUEVO
- 70 G (2.4 OZ) DE PARMESANO RALLADO

para la masa
- 260 G (9 OZ) DE HARINA BLANCA
- 130 G (4.5 OZ) DE MANTEQUILLA
- SAL

utensilios útiles
- RODILLO
- TARTERA DE 20 CM (7.87 PULG.) DE DIÁMETRO

tipo de cocción
A LA SARTÉN Y EN EL HORNO

PREPARAR LA MASA: tamizar 250 g (8,8 oz) de harina con una pizca de sal sobre la superficie de trabajo y trabajarla con 125 g (4,4 oz) de mantequilla troceada hasta obtener un compuesto granuloso. Agregar 2-3 cs de agua fría hasta lograr una masa lisa. Hacer una bola, envolverla en papel film de cocina y dejarla en la nevera.

MONDAR la achicoria, cortarla en trocitos, hervirla en agua salada durante 5 minutos y escurrirla bien.

CALENTAR el aceite en una sartén y añadir la guindilla y la cebolla laminada finamente. Dorarla 2 minutos, agregar la achicoria, las aceitunas partidas por la mitad, salar y dejar a fuego medio durante 4-5 minutos, removiendo de vez en cuando, hasta que las verduras se sequen.

ELIMINAR la guindilla, pasar el compuesto a un cuenco y amalgamarlo todo con el huevo y el parmesano rallado.

ESTIRAR poco más de la mitad de la masa con el rodillo, formar un disco fino y recubrir con este la tartera untada con mantequilla y enharinada. Verter el compuesto de achicoria, nivelar y cubrir con otro disco de masa estirada. Sellar los bordes, agujerear la superficie e introducir en el horno, precalentado a 180 °C (356 °F), durante 25 minutos, aproximadamente. Dejar enfriar antes de servir.

SABER HACER

TORTILLA SUAVE
Para 4 raciones, cocinar de la misma manera que la achicoria la misma cantidad de espinacas; dejar que se sequen bien al fuego, picarlas y amalgamarlas con 6 yemas (no tiréis las claras) y 2 cs de pan rallado. A continuación, incorporar las claras montadas a punto de nieve. Fundir en una sartén 10 g (0,35 oz) de mantequilla con 1 cs de aceite de oliva virgen extra, verter el compuesto y cocerlo como una tortilla; tapar, dejar que se espese un poco y, con la ayuda de una tapa grande, darle la vuelta y cuajarla por el otro lado. Servir la tortilla bien caliente con una guarnición de tomates en ensalada.

VINO ROSADO SECO FRESCO INTENSO

VARIANTES APETITOSAS 1• Para hacer una versión más dulce con las mismas calorías, sustituir la achicoria por lechuga. 2• Durante la cocción, junto a la achicoria, añadir 2-3 filetes de anchoa desmenuzada y 1 cs de alcaparras en vinagre escurridas y picadas.

TARTA CREMOSA DE KIWI

HE AQUÍ UN DULCE BUENO Y SALUDABLE, GRACIAS AL IMPORTANTE APORTE DE VITAMINA C DE LOS KIWIS CRUDOS.

30' preparación + 4 h para enfriarse

30' cocción

ingredientes para 10-12 raciones
kcal por ración 360-300

- 8 KIWIS
- 100 G (3,5 OZ) DE AZÚCAR
- 2 CS DE RON
- 4 HUEVOS
- 6 CS DE HARINA BLANCA
- 2 DL (6,7 FL OZ) DE NATA FRESCA

para la pastaflora
- 210 G (7,4 OZ) DE HARINA BLANCA
- 3 CS DE AZÚCAR GLAS
- 110 G (3,88 OZ) DE MANTEQUILLA
- 1 YEMA
- SAL

utensilios útiles
- BATIDORA
- RODILLO
- TARTERA DE 24-26 CM (9,44-10,23 PULG.) DE DIÁMETRO

tipo de cocción
EN EL HORNO

PREPARAR la pastaflora: tamizar 200 g (7 oz) de harina con el azúcar sobre la superficie de trabajo, añadir 100 g (3,5 oz) de mantequilla troceada y una pizca de sal; trabajarlo todo hasta obtener un compuesto granuloso. Hacer un "volcán", verter en el centro la yema y amasar añadiendo, si fuera necesario, una gota de agua fría. Hacer una bola, envolverla en papel film de cocina y dejarla en la nevera hasta el momento de usarla.

PELAR 5 kiwis, trocearlos y batirlos con el azúcar, el ron, los huevos, la harina y la nata. Estirar la pastaflora con el rodillo, disponerla en la tartera untada con mantequilla y enharinada, recortar los bordes y agujerear la superficie.

VERTER el compuesto de kiwi e introducir en el horno, precalentado a 180 ºC (356 ºF), durante 25-30 minutos. Dejar enfriar totalmente (unas 4 horas), pelar los kiwis restantes, laminarlos y ordenarlos en círculos concéntricos, superponiendo las láminas y cubriendo toda la tarta. Cortarla y servir.

LA IDEA RÁPIDA

LECHE & KIWI
Para 1 ración: batir 2 dl (6,7 fl oz) de leche con 1 kiwi, 1 cs de azúcar y 2 hojas de menta. Decorar el vaso con unas rodajas de fruta y verter el batido. Leche y kiwi convierten esta bebida en una fuente de salud: un kiwi contiene el doble de la vitamina C necesaria para un día; la leche aporta calcio y vitamina del grupo B.

VINO DORADO LICOROSO

! VARIANTES APETITOSAS 1• Por comodidad, podéis adquirir la pastaflora ya preparada en forma de panecillo o la masa quebrada ya estirada en forma redonda. 2• Para hacer una versión más ligera, podéis usar yogur griego cremoso como sustituto de la nata.

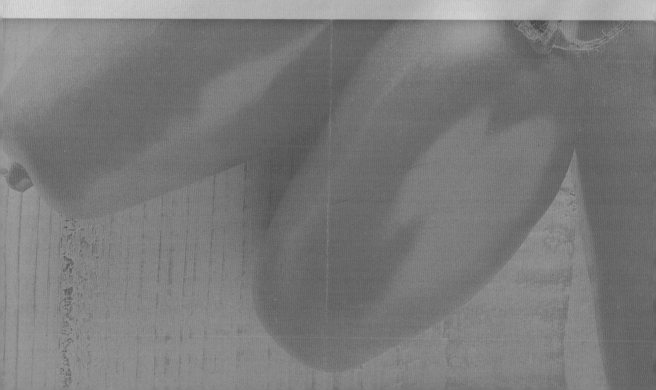

ENTRANTES

- TOMATES RELLENOS AL VAPOR
- PASTEL DE QUESO CON TOMATES
- ROLLITOS DE PIMIENTOS
- ÁSPIC CON HUEVOS Y RÁBANOS

ENSALADAS

- PIMIENTOS Y PAN *CARASAU*
- NARANJAS ROJAS Y JUDÍAS VERDES
- *FUSILLI* FRÍOS EN MARINADA

PLATOS PRINCIPALES

- SOPA PICANTE DE TOMATITOS
- ESPAGUETIS EN *PAPILLOTE*
- *PIZZA* MARGARITA
- BACALAO EN ROJO AL VAPOR
- ROLLITOS DE TERNERA GUISADOS

RECETAS EN ROJO

DULCES
- CREPS DE FRESAS
  A LA NARANJA
- TARTA DE GUINDAS
- TARTALETAS CON GRANADA
- CORONA DE ARROZ Y FRESAS
- SUFLÉ HELADO DE SANDÍA

15′
preparación

5′
cocción

ingredientes para 4 raciones
kcal por ración 157
- 4 TOMATES DE RAMA GRANDES
- 300 G (10,58 OZ) DE REQUESÓN
- 1 MANOJO DE ALBAHACA
- 2 CEBOLLETAS
- 1 LIMÓN DE CULTIVO
  ECOLÓGICO
- 80 G (2,82 OZ) DE ATÚN
  AL NATURAL ESCURRIDO
- SAL Y PIMIENTA

utensilios útiles
- CESTA PARA LA COCCIÓN
  AL VAPOR
- PAPEL DE ALUMINIO

tipo de cocción
AL VAPOR

TOMATES RELLENOS AL VAPOR

LA COCCIÓN AL VAPOR, EN SUSTITUCIÓN DEL HORNO,
PARA UN RESULTADO SORPRENDENTEMENTE AGRADABLE.

CORTAR la parte superior de los tomates, vaciarlos, salarlos internamente y ponerlos boca abajo sobre una tabla de cortar. Dejarlos así 8-10 minutos para que pierdan el agua.

BATIR el requesón con las hojas de albahaca lavadas y secas (reservar algunas para la decoración), las cebolletas cortadas, la piel rallada de 1/2 limón, sal y pimienta en la batidora.

SECAR con papel de cocina el interior de los tomates y rellenarlos con el compuesto de requesón y albahaca. Distribuir a partes iguales el atún desmenuzado en láminas y cubrir con las tapas de los tomates reservadas.

ENVOLVER los 4 tomates en otras tantas hojas de papel de aluminio, sellarlas bien y cocerlas al vapor durante 5 minutos. Dejarlos enfriar, sacarlos del papel y llevarlos a la mesa con la parte superior semiabierta y decorando con la albahaca reservada.

POR QUÉ ES SALUDABLE

TOMATE SUPERSTAR

Un tomate cubre la mitad del aporte diario de vitamina C, satisface en parte el de vitamina E y es una buena fuente de licopenos, carotenoides de elevadas propiedades antioxidantes, es decir, que protegen nuestro organismo. Es uno de los alimentos más útiles para el desarrollo de la flora bacteriana intestinal. Los dos ácidos que contiene, málico y cítrico, son antivirales efectivos. Además, estas hortalizas rojas tienen pocas calorías: 1 tomate medio pesa unos 100 g (3,5 oz) y aporta sólo 20 kcal.

VINO ROSADO
SECO DELICADO

!

VARIANTES APETITOSAS **1•** Dar sabor al requesón con hierbas aromáticas mixtas frescas: tomillo, mejorana, albahaca, menta.
2• En vez del atún, usar gambitas precocidas.

20′
preparación
+ 3 h
para enfriarse

0′
cocción

ingredientes para 4 raciones
kcal por ración 412

- 2 TOMATES PEQUEÑOS DE LA
  VARIEDAD "CORAZÓN DE BUEY"
- 5 G (0,17 OZ) DE GELATINA
  EN HOJAS
- 100 G (3,5 OZ) DE TOSTADAS
  DE PAN
- 80 G (2,82 OZ) DE MANTEQUILLA
- 250 G (8,8 OZ) DE REQUESÓN
- 100 G (3,5 OZ) DE PESTO
  A LA GENOVESA YA LISTO
- 125 G (4,4 OZ) DE YOGUR
  NATURAL ENTERO
- 2-3 CS DE LECHE
- 2 CS DE ACEITE DE OLIVA
  VIRGEN EXTRA
- 1 PIZCA DE ORÉGANO SECO
- SAL Y PIMIENTA

utensilios útiles

- TARTERA DESMONTABLE
  DE 18 CM (7 PUG.) DE DIÁMETRO
- BATIDORA

tipo de cocción
NINGUNA

PASTEL DE QUESO CON TOMATES

PARA EMPEZAR UNA COMIDA DE FORMA ORIGINAL, SE PUEDE OFRECER ESTA VERSIÓN SALADA DEL TRADICIONAL PASTEL DE QUESO DULCE.

PONER a remojar la gelatina en agua fría. Pasar el pan por la batidora, reducirlo a polvo y añadir la mantequilla fundida. Trabajar el compuesto y distribuirlo sobre el fondo del molde recubierto con papel de horno; presionar con las manos para nivelarlo. Dejar en la nevera.

MEZCLAR el requesón con el pesto y el yogur. Calentar la leche en una sartén y, fuera del fuego, agregar la gelatina estrujada, dejar que se disuelva e incorporarla al requesón.

VERTERLO todo sobre la base de pan y dejarlo en la nevera durante 3 horas, aproximadamente.

LAVAR los tomates, cortarlos en rodajas muy finas con la ayuda de un cuchillo de cerámica o de uno trinchante bien afilado.

DISPONER los tomates encima del pastel de queso, condimentar con el aceite, sal, pimienta y orégano. Si os apetece, podéis decorar con hojas de albahaca.

LA EXPERIENCIA ENSEÑA

SI ESTÁN VERDES

Al finalizar la temporada, los tomates ya no maduran más y se quedan verdes. Para no dejar que se marchiten en las plantas, tradicionalmente, en el campo se recogían y se transformaban en mermelada o salsas agridulces. De hecho, el tomate verde consumido crudo no es bueno, porque resulta ácido y demasiado duro; ni siquiera sirve para hacer la tradicional salsa de tomate. Desde un punto de vista nutricional, también es menos rico, porque sólo contiene sus valiosas sustancias bioactivas cuando alcanza la plena maduración.

VINO BLANCO
SECO JOVEN

VARIANTES APETITOSAS 1• En lugar de los tomates, usar una mezcla de verduras crudas cortadas en juliana (zanahorias, hinojos, pimientos). **2•** Para hacer una versión más gustosa, sustituir el yogur por nata montada.

15'
preparación

10'
cocción

ROLLITOS DE PIMIENTOS

EN ESTA RECETA, LOS PIMIENTOS MANTIENEN UNA BUENA CANTIDAD DE VITAMINA C PORQUE NO SE EXPONEN A UNA COCCIÓN PROPIAMENTE DICHA.

ingredientes para 6 raciones
kcal por ración 148

- 3 PIMIENTOS AMARILLOS Y ROJOS
- 5 REBANADAS DE PAN DE MOLDE
- 1 CS DE ALCAPARRAS EN VINAGRE
- 1 MANOJO DE PEREJIL
- 6 FILETES DE ANCHOA EN ACEITE
- 1/2 CT DE ORÉGANO
- 1 PIZCA DE GUINDILLA EN POLVO
- 2 CS DE ACEITE DE OLIVA VIRGEN EXTRA
- 10 HOJAS DE RÚCULA
- SAL

utensilios útiles
- BATIDORA
- PALILLO DE MADERA

tipo de cocción
AL FUEGO

QUEMAR rápidamente los pimientos directamente sobre el fuego girándolos con un tenedor. Cuando la piel esté totalmente quemada, ponerlos unos minutos en una bolsa de papel y pasarlos por el agua del grifo para eliminar piel, semillas y filamentos. A continuación, cortarlos en tiras gruesas.

ELIMINAR la corteza de las rebanadas de pan de molde y pasarlas por la batidora; a continuación, dejarlas en un cuenco. Picar las alcaparras con el perejil y las anchoas y mezclarlo todo con el pan. Agregar orégano, una pizca de sal y la guindilla y condimentar el compuesto con el aceite.

DISTRIBUIR el relleno sobre las tiras de pimientos, enrollarlas y fijar los rollitos con un palillo.

LAVAR y secar la rúcula, desmenuzarla con los dedos y distribuirla sobre los rollitos antes de servir.

LA EXPERIENCIA ENSEÑA

ASÍ ES MEJOR

Tras haber quemado y eliminado la piel, el pimiento es más ligero: de hecho, la parte indigesta está formada por las ceras presentes en la piel. Peladas así, las tiras también son más fáciles de enrollar. Al rellenarlas, procurar no excederos con el compuesto.

VINO TINTO
SECO JOVEN

! VARIANTES APETITOSAS 1• Rellenar de la misma manera unas tiras de berenjena o de calabacín previamente cocinadas a la plancha. 2• Otro relleno: batir junto al pan 3 pepinos en vinagre, 3 nueces y un trocito de arenque ahumado.

20'
**preparación
+ 4 h
para enfriarse**

10'
cocción

**ingredientes para 4 raciones
kcal por ración 91**

- 2 HUEVOS
- 10 RÁBANOS
- 3 G (0,10 OZ) GELATINA
  EN HOJAS
- 1/2 L (16,9 FL OZ) DE CALDO
  VEGETAL
- 100 G (3,5 OZ) DE SALMÓN
  AHUMADO
- 1 MANOJO DE HIERBAS
  AROMÁTICAS (ANÍS, MEJORANA,
  CEBOLLINO)
- SAL Y PIMIENTA

utensilios útiles
- CORTAHUEVOS
- MOLDES DE PUDÍN

tipo de cocción
EN LA CAZUELA

ÁSPIC CON HUEVOS Y RÁBANOS

CON VERDURAS Y GELATINA SE PUEDEN HACER VARIOS ÁSPIC LIGEROS Y BONITOS: POBRES EN CALORÍAS PERO IGUALMENTE DELICIOSOS AL PALADAR.

COCER los huevos poniéndolos en agua fría y calculando 9-10 minutos desde el momento en que el agua empiece a hervir. Enfriarlos bajo el grifo para cortar la cocción, pelarlos y laminarlos con el cortahuevos.

PONER la gelatina en agua fría durante 10 minutos, estrujarla y disolverla en el caldo caliente filtrado con una gasa o un colador de malla fina. Dejar enfriar sin que solidifique.

VERTER un dedo de gelatina sobre el fondo de 4 moldes de pudín, dejarla solidificar en el congelador unos minutos, disponer encima una lámina de huevo, un trocito de salmón, unas rodajitas de rábano y una pizca de hierbas aromáticas picadas.

CUBRIR con más gelatina y hacer otras capas con los restantes ingredientes (reservar 2 rábanos para decorar). Después de cada capa, dejar en el congelador. Finalmente, introducir en la nevera y dejar que la gelatina se solidifique totalmente: requerirá unas 3-4 horas.

SUMERGIR los moldes en agua caliente un momento, desmoldarlos, disponer los áspic en los platos, decorar con los rábanos reservados cortados en gajos y con el anís; servir.

ÁSPIC MIGNON

Preparar la gelatina con 1/2 l (16,9 fl oz) de agua y 1 dl (3,38 fl oz) de vino blanco seco. Disponer sobre el fondo de 12 vasitos un trocito de pan de molde recortado. Poner encima un pedacito de queso fresco de cabra, una cereza y cubrir con la gelatina. Dejar en la nevera 2-3 horas. Sumergir un instante los vasitos en agua caliente y desmoldar.

VINO BLANCO
SECO ESPUMOSO

! VARIANTES APETITOSAS **1•** En lugar del salmón, usar carne de pollo hervida cortada en tiras pequeñas, añadiendo también unas rodajitas de pepino en vinagre. **2•** Agregar las verduras que queráis, por ejemplo zanahorias crudas cortadas en forma de cinta con el pelador de patatas.

20'
preparación
+ 4 h
para enfriarse

10'
cocción

ingredientes para 4 raciones
kcal por ración 301

- 1 PIMIENTO AMARILLO
- 1 PIMIENTO ROJO
- 100 G (3,5 OZ) DE PAN *CARASAU*
- 1 PEPINO
- 2 CEBOLLETAS FRESCAS
- 1 CS DE VINAGRE DE VINO BLANCO
- 12 TOMATES *CHERRY*
- 12 ACEITUNAS NEGRAS DESHUESADAS
- 4 CS DE ACEITE DE OLIVA VIRGEN EXTRA
- 1 PIZCA DE ORÉGANO
- GUINDILLA EN POLVO
- SAL

utensilios útiles

- PELADOR DE LIMONES

tipo de cocción
AL FUEGO

PIMIENTOS Y PAN *CARASAU*

UNA COMPOSICIÓN DE SABORES MEDITERRÁNEOS CON TODO LO BUENO DE LAS VERDURAS Y DE LAS HIERBAS AROMÁTICAS. PARA ACOMPAÑAR A UN QUESO FRESCO.

QUEMAR rápidamente los pimientos directamente sobre el fuego girándolos con un tenedor. Cuando la piel esté totalmente quemada, ponerlos unos minutos en una bolsa de papel y pasarlos bajo el agua fría para eliminar piel, semillas y filamentos. Cortarlos en tiras.

PELAR el pepino con el pelador de limones, dejando las estrías. Cortarlo en rodajas finas igual que las cebolletas, salar ambas verduras y ponerlas en dos coladores separados.

HUMEDECER ligeramente con agua acidulada con vinagre el pan *carasau* (especialidad sarda en forma de hojas finas y secas que recuerdan al papel pergamino). Disponer las hojas de pan en 4 platos, distribuir a partes iguales los pimientos, los pepinos, las cebolletas, los tomates en gajos y las aceitunas.

CONDIMENTARLO todo con aceite, orégano, sal y una pizca de guindilla en polvo. Servir enseguida.

LA EXPERIENCIA ENSEÑA

DENTRO DEL SACO

Para quitar la piel de los pimientos, primero hay que quemarlos. Hay quien usa el horno, nosotros preferimos hacerlo directamente sobre el fuego. Después de quemarlos, encerrar los pimientos entre dos platos hondos o en una bolsa de papel. El objetivo es el mismo: dejar que el vapor contribuya a separar la piel. Sólo habrá que pasarlos bajo el agua para enfriarlos y limpiarlos totalmente.

VINO BLANCO SECO

VARIANTES APETITOSAS 1• En lugar del pan *carasau*, no siempre fácil de encontrar, usar pan de payés cortado finamente y tostado. **2•** También es deliciosa la versión sólo con tomates, cebolletas, aceitunas y caballa en aceite troceada.

NARANJAS ROJAS Y JUDÍAS VERDES

ESTA ENSALADA ES UNA BUENA FUENTE DE VITAMINAS A Y C, POTASIO, HIERRO Y CALCIO; PODÉIS ACOMPAÑARLA CON PESCADO AL VAPOR O HERVIDO.

15'

preparación + 2 h para enfriarse

10'

cocción

ingredientes para 4 raciones
kcal por ración 135

- 2 NARANJAS ROJAS
- 600 G (21,16 OZ) DE JUDÍAS VERDES
- 1 CS DE ALMENDRAS LAMINADAS
- 3 CS DE ACEITE DE OLIVA VIRGEN EXTRA
- SAL Y PIMIENTA

utensilios útiles
- CUCHILLO REBANADOR

tipo de cocción
EN LA CAZUELA

DESPUNTAR las judías verdes, eliminar el filamento, cortarlas transversalmente y cocerlas en abundante agua salada hirviendo durante 9-10 minutos. Escurrirlas al dente y dejarlas enfriar totalmente.

PONER las almendras laminadas a tostar en una sartén antiadherente removiendo a menudo y haciéndolas "saltar" hasta que se doren uniformemente. Bastarán unos momentos.

DISPONER las naranjas en una tabla de cortar y pelarlas con un cuchillo bien afilado eliminando también la piel blanca; a continuación, cortarlas en gajos.

RECOGER en un cuenco el jugo de naranja filtrándolo. Verter el aceite, una pizca de sal y pimienta molida. Emulsionarlo todo con un tenedor.

COLOCAR las judías verdes junto con las naranjas en los platos, espolvorear con las almendras tostadas, bañar con la salsa de aceite y zumo de naranja y servir.

VINO BLANCO SECO ARMÓNICO FRESCO

VARIANTES APETITOSAS 1• Otra versión de fruta con verdura: lechuga *lollo* y frambuesas aliñadas con aceite de oliva virgen extra, sal, pimienta y una gota de vinagre de fresas o frambuesas.
2• Las naranjas pueden sustituirse por un pomelo rojo.

15′

20′

preparación
+ 2 h de reposo

cocción

FUSILLI FRÍOS EN MARINADA

ESTA ENSALADA SE PROPONE COMO PLATO ÚNICO. COMPLETAR EL MENÚ CON UNA MACEDONIA DE FRUTA FRESCA DE TEMPORADA.

ingredientes para 4 raciones
kcal por ración 519

- 350 G (12,34 OZ) DE PASTA DE SÉMOLA TIPO *FUSILLI*
- 1 BERENJENA
- 500 G (17,6 OZ) DE TOMATES *CHERRY*
- 3-4 RAMITAS DE MENTA FRESCA
- 1 DIENTE DE AJO
- 5 CS DE ACEITE DE OLIVA VIRGEN EXTRA
- 50 G (1,76 OZ) DE QUESO *CACIOCAVALLO*
- SAL Y PIMIENTA

utensilios útiles

- PELADOR DE PATATAS

tipo de cocción
GRILL Y EN LA CAZUELA

CORTAR la berenjena en rodajas de 1/2 cm (0,19 pulg.) de grosor, aproximadamente. Disponerlas en la placa del horno bien separadas entre sí y cocerlas 5 minutos bajo el grill, girándolas a media cocción (podéis cocinarlas en la plancha, 1-2 minutos por lado). Dejarlas enfriar.

PONER los tomates cortados en un cuenco, agregar las hojitas de menta desmenuzadas (reservar algún ramillete para decorar), el ajo laminado, el aceite, una pizca de sal y pimienta molida. Dejar reposar en la nevera durante 2 horas, aproximadamente; así obtendremos una sabrosa marinada de tomates.

COCER los *fusilli* en abundante agua salada hirviendo, escurrirlos *al dente* y pasarlos bajo el agua del grifo. Pasarlos al cuenco con los tomates y removerlo todo bien.

DISPONER las rodajas de berenjena sobre el fondo de 4 platos, distribuir por encima la pasta a partes iguales, el queso *caciocavallo* cortado en virutas finas, decorar con la menta reservada y servir.

LA IDEA RÁPIDA

CARACOLILLOS DE PASTA AL ATÚN

Para hacer una pasta fresca y sabrosa: hervir al dente 350 g (12,34 oz) de pasta de sémola en formato de caracolillos, escurrirla y condimentarla con 4 cs de hierbas aromáticas picadas (perejil, albahaca, mejorana, orégano fresco), 4-5 cs de aceite de oliva virgen extra y el zumo filtrado de 1/2 limón y añadir 170 g (6 oz) de atún al natural, 1 corazón de apio pequeño laminado y una generosa cantidad de pimienta negra molida.

VINO ROSADO
SECO JOVEN

VARIANTES APETITOSAS 1• Podéis sustituir las berenjenas por rúcula desmenuzada y, después, agregar *mozzarella* en daditos en vez del *caciocavallo*. 2• Para los paladares más resistentes, añadir a la marinada una guindilla fresca picante en rodajitas; en este caso eliminar la pimienta.

15' preparación

35' cocción

ingredientes para 4 raciones
kcal por ración 291 (pan incluido)

- 400 G (14 OZ) DE TOMATES *CHERRY*
- 400 G (14 OZ) DE CALABACINES
- 6 CEBOLLETAS
- 1 PATATA MEDIANA
- 1 RAMITA DE ROMERO
- 4-5 HOJAS DE SALVIA
- 2 DIENTES DE AJO
- 2 CS DE ACEITE DE OLIVA VIRGEN EXTRA
- 1 GUINDILLA FRESCA PICANTE
- 1 L (33,8 FL OZ) DE CALDO VEGETAL
- 200 G (7 OZ) DE PAN INTEGRAL EN REBANADAS
- 40 G (1,4 OZ) DE QUESO DE OVEJA
- SAL

utensilios útiles

- TOSTADORA

tipo de cocción
EN LA CAZUELA

SOPA PICANTE DE TOMATITOS

LAS SOPAS NUNCA DEBERÍAN FALTAR EN NUESTRA DIETA ALIMENTARIA, Y LAS VERDURAS Y LAS HIERBAS AROMÁTICAS SON UNA MEZCLA SIEMPRE SALUDABLE.

LAVAR las verduras. Cortar los tomates por la mitad, despuntar los calabacines, cortarlos a lo largo y, después, trocearlos; hacer lo mismo con las cebolletas. Pelar la patata y reducirla a pedacitos finos.

PICAR finamente el romero con la salvia y 1 diente de ajo y dorarlos en una cazuela con el aceite y la guindilla. Dejar que absorba el sabor 1-2 minutos y, a continuación, añadir los calabacines, las cebolletas y las patatas; verter el caldo hirviendo y cocer durante 20 minutos.

AÑADIR los tomates y terminar la cocción, dejando que hierva otros 10 minutos. Eliminar la guindilla y rectificar de sal.

TOSTAR el pan en el grill del horno o en la tostadora. Frotar la superficie de cada rebanada con el diente de ajo restante, ponerlas en los platos y espolvorear con el queso de oveja en virutas.

SERVIR la sopa bien caliente, vertiéndola sobre las rebanadas de pan y el queso de oveja.

POR QUÉ ES SALUDABLE

CONCENTRADO DE SALUD

La guindilla, pequeña hortaliza con múltiples propiedades terapéuticas, es un auténtico regalo de la naturaleza. Protege de las infecciones, es antirreumático, ayuda a contrarrestar el colesterol, es descongestionante en los resfriados comunes y ayuda a que la sangre fluya. ¡Con 2 g (0,07 oz) al día es suficiente para sentir los beneficios!

VINO TINTO SECO

VARIANTES APETITOSAS 1• Preparar una sopa menos líquida y, sólo al final, poner en la superficie rodajas de tomate de rama; espolvorear con un queso curado en virutas y pasarla por el grill.
2• Para hacer una versión con más sustancia, agregar 150 g (5,29 oz) de arroz durante la cocción.

ESPAGUETIS EN *PAPILLOTE*

UN BUEN PLATO DE ESPAGUETIS SIEMPRE ES BIEN RECIBIDO, COMO TAMBIÉN LO ES LA SALSA DE TOMATE EN SUS DISTINTAS VERSIONES, SIEMPRE RICA EN LICOPENOS.

10′ preparación   **35′** cocción

ingredientes para 4 raciones
kcal por ración 400

- 350 G (12,34 OZ) DE PASTA DE SÉMOLA EN FORMATO DE ESPAGUETIS GRUESOS
- 2 CS DE ACEITE DE OLIVA VIRGEN EXTRA
- 1/2 GUINDILLA PICANTE FRESCA
- 1 DIENTE DE AJO
- 500 G (17,6 OZ) DE PULPA DE TOMATE EN CUBITOS
- 100 G (3,5 OZ) DE ACEITUNAS NEGRAS DESHUESADAS
- 1 RAMILLETE DE ALBAHACA
- SAL

utensilios útiles
- SARTÉN GRANDE ANTIADHERENTE

tipo de cocción
A LA SARTÉN Y EN LA CAZUELA

CALENTAR en una sartén grande 1 cs de aceite e incorporar la guindilla picada y el ajo. Cuando este último se torne transparente, añadir la pulpa de tomate, una pizca de sal, las aceitunas y cocer a fuego bajo durante 20 minutos, hasta que la salsa se espese y se seque un poco. Eliminar el ajo.

MIENTRAS TANTO, hervir los espaguetis en abundante agua salada, escurrirlos muy *al dente*, pasarlos a la sartén con la salsa y dejar que absorban el sabor un momento removiendo bien.

PINCELAR 4 cuadrados de papel de horno con el aceite restante, distribuir en el centro de cada uno la pasta condimentada, cerrar los paquetes y pasarlos a una fuente grande. Introducirlos en el horno, precalentado a 190 °C (374 °F), durante 15 minutos, hasta que el papel esté dorado. Disponer los paquetes en platos individuales, abrirlos, espolvorear con las hojitas de albahaca desmenuzadas y servir.

LA IDEA RÁPIDA

PASTA CON AJO, ACEITE Y GUINDILLA

Una propuesta clásica para degustar de vez en cuando por tres buenos motivos: es perfecto, es sencillo y es rápido. Para 4 raciones: en una cazuela pequeña, calentar 8 cs de aceite de oliva virgen extra con 1 guindilla picante cortada y 2 dientes de ajo enteros. Cocer unos instantes a fuego bajo y dejar que chisporroteen un poco hasta que el ajo se torne transparente (no debe quemarse). Hervir 350 g (12,34 oz) de espaguetis, escurrirlos al dente y condimentarlos enseguida con aceite, ajo y guindilla, añadiendo queso parmesano rallado.

VINO BLANCO SECO FRESCO

VARIANTES APETITOSAS 1• Para hacer unos espaguetis aún más sabrosos, agregar a las aceitunas 1 cs de alcaparras en vinagre. 2• También es deliciosa la salsa de tomate con filetes de anchoa disueltos en el sofrito y añadiendo, al final de la cocción, 1 sobrecito de azafrán.

10′
preparación
+ 15′ de reposo

20′
cocción

PIZZA MARGARITA

MASA DE PAN, TOMATE, *MOZZARELLA* Y ALBAHACA EN UN PLATO ÚNICO SABROSO, NACIDO EN NÁPOLES EN 1889, EN HONOR A LA REINA MARGARITA DE SAVOYA.

ingredientes para 4-6 raciones
kcal por ración 795-530

- 800 G (28,2 OZ) DE MASA DE PAN
- 5 TOMATES DE RAMA
- 300 G (10,58 OZ) DE *MOZZARELLA* DE BÚFALA
- 3 CS DE ACEITE DE OLIVA VIRGEN EXTRA
- 1 RAMILLETE DE ALBAHACA
- SAL

utensilios útiles

- RUEDA PARA CORTAR LA *PIZZA*
- FUENTE PARA *PIZZA* DE 32 CM (12,6 PULG.) DE DIÁMETRO

tipo de cocción
EN EL HORNO

CALENTAR el horno a 220 °C (428 °F). Escaldar los tomates un minuto en agua hirviendo, escurrirlos y dejarlos enfriar; a continuación, quitar la piel, cortarlos en gajos, eliminar las semillas y filetearlos. Ponerlos en un colador, salarlos ligeramente y dejarlos reposar 15 minutos para que pierdan el agua.

CORTAR la *mozzarella* en trocitos y dejarla escurrir en otro colador. Estirar la masa hasta formar un disco de 1/2 cm (0,19 pulg.) de espesor, aproximadamente; disponerlo en la fuente untada con 1 cs de aceite y dejarla reposar durante 15 minutos.

DISTRIBUIR los tomates y la *mozzarella* por encima de la masa, bañar con el aceite restante y cocer, en el horno precalentado, durante 20 minutos, aproximadamente, aromatizando a media cocción con unas hojas de albahaca desmenuzadas. Extraer del horno, añadir unas hojas frescas de albahaca, dividir la *pizza* en 4-6 raciones y servir.

SABER HACER

MASA DE PAN
Para obtener 800 g (28,2 oz) de masa de pan, tamizar sobre la superficie de trabajo 500 g (17,6 oz) de harina (400 g -14 oz- de harina 00 y 100 g -3,5 oz- de trigo duro), hacer un "volcán", incorporar 2 dl (6,7 fl oz) de agua templada en la que habréis disuelto 25 g (0,88 oz) de levadura de cerveza fresca, añadir 1 cs de aceite de oliva y 1/2 ct de sal. Amasar un buen rato vigorosamente hasta que empiecen a formarse unas burbujas. Hacer una bola, ponerla en una fuente bien enharinada y taparla con un paño de lino. Dejar fermentar en un lugar templado y alejado de corriente de aire hasta que su volumen se haya doblado.

VINO BLANCO
SECO JOVEN

VARIANTES APETITOSAS 1• Siguiendo con lo clásico, agregar a la receta filetes de anchoa, alcaparras y orégano. 2• Se puede suprimir la *mozzarella* y añadir cebollas rehogadas antes de hornear para hacer una versión igualmente sabrosa pero menos calórica.

15'
preparación

 20'
cocción

BACALAO EN ROJO AL VAPOR

PESCADO DELICADO, SALSA CONSISTENTE: UN ACERTADO CONTRASTE DE SABORES PARA ESTA RECETA HIPOCALÓRICA.

ingredientes para 4 raciones
kcal por ración 245
- 800 G (28,2 OZ) DE FILETES DE BACALAO
- 1/2 PIMIENTO ROJO
- 1 CALABACÍN
- 1 CEBOLLETA
- 2 CS DE ACEITE DE OLIVA VIRGEN EXTRA
- 12 ACEITUNAS KALAMATA
- 200 G (7 OZ) DE TOMATES *CHERRY*
- 1 MANOJO DE RÚCULA
- SAL Y PIMIENTA

utensilios útiles
- CESTAS DE BAMBÚ

tipo de cocción
A LA SARTÉN Y AL VAPOR

LIMPIAR el pimiento, el calabacín y la cebolleta; cortar estas verduras en trozos irregulares. Calentar el aceite en una sartén, agregar las verduras, las aceitunas y dejar cocer 1-2 minutos. Bañar con 2-3 cs de agua, salpimentar y cocer 15 minutos más removiendo a menudo.

LAVAR los tomates, cortarlos e introducirlos en una cesta de bambú para la cocción al vapor. Disponer los filetes de bacalao en otra cesta y superponerla a la de los tomates. Cocer todo al vapor durante 3 minutos, aproximadamente.

QUITAR la piel de los tomates, verterlos en la sartén con las verduras, subir el fuego y cocer 2 minutos más.

PASAR con cuidado los filetes de bacalao a los platos, verter por encima el condimento de verduras y aceitunas, espolvorear con la rúcula desmenuzada y servir.

LA EXPERIENCIA ENSEÑA

LA COCCIÓN ADECUADA

Se requiere poco tiempo para que los filetes de bacalao se cocinen bien al vapor; para controlar si están listos, tratar de dividirlos con un tenedor: si la carne se abre fácilmente, significa que es hora de servirlos. El tiempo depende del grosor de los filetes; así pues, para hallar el punto justo de cocción, confiar en este método.

 VINO BLANCO SECO JOVEN

VARIANTES APETITOSAS 1• Preparar el bacalao al vapor con una salsa a base de alcaparras, perejil y aceitunas picadas y con aceite de oliva virgen extra. 2• O servir el bacalao condimentado con aceite, zumo y piel de naranja rallada, sal y pimienta.

20' preparación

20' cocción

ingredientes para 4 raciones
kcal por ración 352
- 8 FILETITOS DE TERNERA
- 40 G (1,4 OZ) DE PARMESANO RALLADO
- 2 DIENTES DE AJO
- 1 RAMILLETE DE PEREJIL
- 2 CS DE ACEITE DE OLIVA VIRGEN EXTRA
- 150 G (5,29 OZ) DE VERDURAS PARA SOFRITO CONGELADAS
- 400 G (14 OZ) DE SALSA DE TOMATE
- 12 ACEITUNAS VERDES
- SAL Y PIMIENTA

utensilios útiles
- ESPALMADERA
- PAPEL DE HORNO
- BATIDORA
- HILO DE COCINA

tipo de cocción
A LA SARTÉN

ROLLITOS DE TERNERA GUISADOS

POCAS CALORÍAS PARA ESTE PLATO DE CARNE, ACOMPAÑADO CON RAMILLETES DE COLIFLOR COCIDOS AL VAPOR.

APLASTAR ligeramente con la espalmadera los filetitos dispuestos entre 2 hojas de papel de horno para evitar que se rompan.

PONER en la batidora el parmesano, agregar el ajo laminado, las hojitas de perejil (reservar algunas para decorar) y encender el aparato hasta obtener una picada bastante fina.

DISTRIBUIR el compuesto sobre los filetes. Enrollarlos formando unos cilindros y fijarlos con hilo de cocina.

CALENTAR el aceite en una sartén, echar las verduras para sofrito y, cuando empiecen a rehogarse, agregar los rollitos y dorarlos uniformemente a fuego vivo; a continuación, verter la salsa de tomate y las aceitunas.

RECTIFICAR de sal, aromatizar con pimienta molida, tapar y cocer los rollitos a fuego medio durante 20 minutos. Eliminar, si es posible, el hilo de cocina y servir decorando con hojitas de perejil.

LA ELECCIÓN ADECUADA

¿QUÉ TIPO DE TOMATE?

Las distintas cualidades de tomate son intercambiables entre sí, pero algunas variedades son mejores que otras para usos específicos. Probablemente, el tomate pera, carnoso y sin demasiadas semillas, es la variedad más adecuada para las conservas. El "corazón de buey" y el de "rama" son buenos crudos, con aceite y sal. Los tomatitos pequeños o en racimo, usados para las salsas y los concentrados industriales, son buenos para ensaladas mixtas o salteados a la sartén para salsas rápidas.

VINO TINTO SECO JOVEN

VARIANTES APETITOSAS 1• Rellenar los rollitos con una mezcla de pan rallado, ajo picado y orégano seco amasados con un chorrito de aceite de oliva virgen extra. 2• O rellenarlos con rodajas de calabacín asadas y hojitas de menta picadas.

20'
10'

preparación
+ 30' de reposo

cocción

CREPS DE FRESAS A LA NARANJA

SE ACONSEJA PREPARAR ESTE DULCE EN EL ÚLTIMO MOMENTO PARA CONSERVAR INTACTO EL PERFUME DE LAS FRESAS.

ingredientes para 6 raciones
kcal por ración 209
- 400 G (14 OZ) DE FRESAS
- 1 NARANJA
- 4 CS DE AZÚCAR

para 12 creps
- 2 HUEVOS
- 100 G (3,5 OZ) DE HARINA BLANCA
- 1/4 L (8,5 FL OZ) DE LECHE
- 60 G (2,11 OZ) DE MANTEQUILLA
- SAL

utensilios útiles
- SARTÉN PARA CREPS

tipo de cocción
A LA SARTÉN

PARA LAS CREPS: batir en un cuenco los huevos con una pizca de sal, agregar la harina tamizada y diluida con la leche y 30 g (1 oz) de mantequilla fundida fría. Remover bien con la varilla hasta obtener una pasta líquida lisa. Dejar reposar en la nevera durante 30 minutos, aproximadamente.

PREPARAR las fresas: enjuagarlas rápidamente con agua, eliminar el pecíolo y laminarlas. Ponerlas en una sartén, espolvorearlas con el azúcar, bañar con el zumo de naranja filtrado y caramelizar a fuego vivo un instante removiendo con cuidado.

CALENTAR la sartén de creps untada con mantequilla y cocer la primer crep: verter 2 cs de pasta y extender el compuesto sobre el fondo de la sartén. Cuando empiece a cuajar, dar la vuelta a la crep y dejarla cocer un momento por el otro lado. Reservarla y cocer las otras.

SERVIR 2 creps por cabeza, rellenar con las fresas y decorar con 1 ramita de menta fresca.

LA EXPERIENCIA ENSEÑA

CONSERVAR LAS CREPS

Si os sobran creps, no las rellenéis, ponerlas en un plato superpuestas y separadas por una hoja de papel film transparente. Taparlas bien y conservarlas en la nevera 2-3 días. Poco antes de servirlas, coger las creps, calentarlas una a una durante 3-5 segundos en el microondas y rellenarlas.

VINO BLANCO DULCE LICOROSO

VARIANTES APETITOSAS 1• Hay muchas maneras de rellenar las creps: con crema de chocolate, por ejemplo. 2• Con confituras de fruta variadas. 3 • Con azúcar de caña y un poco de coñac. 4 • Con nata montada y fresitas del bosque. 5 • Con miel caliente y canela.

40'
preparación

55'
cocción

TARTA DE GUINDAS

CUANDO LLEGA LA BREVE TEMPORADA DE LAS GUINDAS,
NOS PODEMOS PERMITIR UN TROZO DE ESTA DELICIOSA TARTA.

**ingredientes para 8-10 raciones
kcal por ración 525-420**

- 800 G (28.2 OZ) DE GUINDAS
  O CEREZAS
- 300 G (10,58 OZ) DE AZÚCAR
- 1 LIMÓN DE CULTIVO
  ECOLÓGICO
- 5 CM (1,97 PULG.) DE RAMA
  DE CANELA
- 130 G (4.5 OZ) DE HARINA BLANCA
- 100 G (3,5 OZ) DE HARINA
  DE ARROZ
- 100 G (3,5 OZ) DE MANTEQUILLA
- 2 CS DE COÑAC
- 80 G (2,82 OZ) DE AZÚCAR GLAS
- 2 HUEVOS
- 1/4 L (8,5 FL OZ) DE NATA FRESCA
- SAL

utensilios útiles

- TARTERA DE 20 CM (7,87 PULG.)
  DE DIÁMETRO
- PAPEL DE HORNO

tipo de cocción

EN LA CAZUELA
Y EN EL HORNO

LAVAR las guindas, eliminar el hueso y ponerlas en una cazuela con 200 g (7 oz) de azúcar, la piel del limón, la canela y cocer a fuego bajo durante 20 minutos, aproximadamente. Verterlo todo en un colador dispuesto encima de un cuenco, eliminar la piel del limón y la canela; dejar escurrir hasta que las guindas estén bien frías.

MEZCLAR las harinas, trabajarlas con la mantequilla fría troceada hasta lograr un compuesto granuloso y añadir el coñac, una pizca de sal y el azúcar glas. Amasar bien y rápidamente, hacer una bola y dejarla reposar en la nevera 30 minutos, aproximadamente.

ESTIRAR la masa dándole la forma de un disco fino y recubrir la tartera forrada con papel de horno. Agujerear la superficie, recortar los bordes y verter las guindas.

BATIR en un cuenco los huevos con el azúcar restante y la nata hasta obtener un compuesto homogéneo; a continuación, verterlo sobre las guindas e introducir el dulce en el horno a 180 °C (356 °F) durante 30-35 minutos. Dejar enfriar y servir vertiendo sobre cada porción de tarta un poco de jarabe de guindas.

BORDES

Es importante cuidar los detalles en la preparación de las tartas. Con la pastaflora podéis explayaros de distintas maneras. Este borde que recuerda las almenas de un castillo es sencillo de realizar, con la ayuda de las tijeras y procediendo tal y como se ilustra en la imagen superior. Más elaborado es el perfil en hojas: se da forma a varias hojitas de pasta que, después, se aplican sobre el borde pincelado con huevo batido. Más fáciles son los hoyuelos: se deja un borde más grueso y se pellizca la pasta con dos dedos.

VINO BLANCO
DULCE

!

VARIANTES APETITOSAS 1• Sustituir las cerezas por fresas que dejaremos enteras y coceremos sólo 5 minutos. 2• Versión más rápida: probar la misma tarta con melocotones en almíbar troceados; al final, aromatizarla con una gota de licor de almendras.

30'
preparación

 25'
cocción

ingredientes para 4 raciones
kcal por ración 538

- 1 GRANADA GRANDE MADURA
- 100 G (3,5 OZ) DE HARINA BLANCA
- 100 G (3,5 OZ) DE MANTEQUILLA
- 100 G (3,5 OZ) DE CHOCOLATE PARA FUNDIR
- 1 DL (3,38 FL OZ) DE NATA FRESCA
- 1 HUEVO
- 2 CS DE AZÚCAR GLAS
- SAL

utensilios útiles

- 4 MOLDES DE TARTALETA DE 10-12 CM (4-4,7 PULG.)

tipo de cocción
EN EL HORNO

TARTALETAS CON GRANADA

CHOCOLATE Y GRANADA JUNTOS: UNA COMBINACIÓN INUSUAL PARA UN DULCE DE INVIERNO QUE PUEDE ELABORARSE CON MOTIVO DE UNA CELEBRACIÓN.

TRABAJAR 90 g (3,17 oz) de harina con 90 g (3,17 oz) de mantequilla troceada y una pizca de sal hasta obtener un compuesto granuloso. Agregar 1-2 cs de agua fría y amasar bien. Hacer una bola y dejarla en la nevera.

DESGRANAR la granada y reservar los granos. Estirar la masa y recubrir 4 moldes de tartaleta untados con mantequilla y enharinados. Agujerear la superficie y recortar la masa sobrante de los bordes.

FUNDIR al baño María el chocolate troceado junto con la nata y removiendo a continuación. Dejar enfriar e incorporar el huevo batido.

VERTER el compuesto de chocolate en las tartaletas, introducir en el horno, precalentado a 180 °C (356 °F), durante 20 minutos, aproximadamente. Extraer del horno, dejar enfriar totalmente y desmoldar las tartaletas.

DISPONER las tartaletas en los platos de postre, distribuir por encima los granos de granada, espolvorear con el azúcar glas y servir.

POR QUÉ ES SALUDABLE

GRANOS COMO RUBÍES

Las semillas de granada, cuando alcanzan la maduración, se tornan rojas y brillantes como los rubíes. Dulces y frescos, son bonitos para decorar un postre, pero también son valiosos desde el punto de vista nutricional. Tienen un elevado poder refrescante y contienen pelletierina, sustancia útil contra los parásitos intestinales.

 VINO TINTO LICOROSO

! VARIANTES APETITOSAS 1• Para una versión más insólita y ligera, podéis sustituir el chocolate por zumo de granada. 2• Podéis cambiar la decoración de la tarta añadiendo frambuesas en lugar de los granos rojo rubí.

30'
preparación
+ 5 h
para enfriarse

15'
cocción

ingredientes para 8 raciones
kcal por ración 299

- 200 G (7 OZ) DE ARROZ SEMILARGO
- 300 G (10,58 OZ) DE FRESAS
- 3 DL (10,14 FL OZ) DE LECHE
- 200 G (7 OZ) DE AZÚCAR
- 1 PIZCA DE CANELA
- 2 DL (6,7 FL OZ) DE NATA FRESCA
- NATA EN *SPRAY*

utensilios útiles
- MOLDE EN FORMA DE ANILLO

tipo de cocción
EN LA CAZUELA

CORONA DE ARROZ Y FRESAS

HE AQUÍ UN POSTRE LIGERO Y POCO CALÓRICO, QUE PUEDE COMPLETARSE CON FRESAS DE TEMPORADA U OTRA FRUTA FRESCA DE VUESTRO AGRADO.

HERVIR abundante agua, cocer el arroz durante 10 minutos y escurrirlo. Calentar en otra cazuela la leche con el azúcar y la canela.

AÑADIR el arroz y completar la cocción a fuego muy bajo, hasta que el líquido haya sido absorbido. Dejar enfriar.

MONTAR la nata, incorporarla al arroz y verter el compuesto en el molde bañado con agua fría. Presionar delicadamente con el dorso de una cuchara mojada para nivelar la superficie.

TAPAR con una hoja de papel film de cocina y dejar en la nevera durante 4-5 horas. Desmoldar el pudín de arroz en un plato de presentación.

LIMPIAR las fresas y ofrecerlas como acompañamiento del dulce, servidas aparte en una cesta. Utilizar algunas para decorar la corona junto a las formas de nata en *spray*.

VINO BLANCO DULCE

VARIANTES APETITOSAS 1• En lugar del arroz podéis usar la misma cantidad de trigo cocido. **2•** Decorar este pudín con forma de corona poniendo en el centro una mezcla de pequeñas frutas: fresas, cerezas, frambuesas y grosellas, para ser servidas junto a las raciones individuales.

40'

preparación
+ 5 h
para enfriarse

10'

cocción

ingredientes para 8 raciones
kcal por ración 235
- 500 G (17,6 OZ) DE SANDÍA
- 4 YEMAS
- 150 G (5,29 OZ) DE AZÚCAR
- 3 DL (10,14 FL OZ) DE NATA
  FRESCA

utensilios útiles
- 8 MOLDES PEQUEÑOS
  DE CERÁMICA PARA SUFLÉ

tipo de cocción
AL BAÑO MARÍA

SUFLÉ HELADO DE SANDÍA

UN SEMIFRÍO ESTIVAL MUY EFECTISTA, BUENO Y DELICADO PARA UNA OCASIÓN ESPECIAL.

RECORTAR de un cartoncito unas tiras de 3 cm (1,18 pulg.) de altura y una anchura parecida a la circunferencia de los moldes. Forrar las tiras con papel de aluminio y fijarlas en el borde de los moldes con la ayuda de unas grapas.

PONER las yemas en una cazuela y batirlas con el azúcar. Ponerlas al baño María y cocerlas removiendo siempre con una varilla hasta que el compuesto empiece a cuajar. Sacar del fuego y seguir removiendo hasta que se enfríe.

ELIMINAR la piel y las semillas de la sandía (reservar un trozo para decorar) y aplastar bien la pulpa con un tenedor.

INCORPORAR el puré de sandía y la nata montada a la crema de huevo fría, verter el compuesto en el molde preparado y dejar en el congelador 5 horas, por lo menos. Extraer la corona de aluminio, decorar con cubitos de sandía y servir.

LA IDEA RÁPIDA

POLOS ROJOS

Calentar en una cazuela 1/2 l (16,9 fl oz) de agua con el zumo de un limón y disolver 100 g (3,5 oz) de azúcar; dejar enfriar e incorporar 400 g (14 oz) de pulpa de sandía sin semillas y batida. Verter en moldes para polos y dejar en el congelador para que se solidifiquen un poco; añadir unas gotas de chocolate y dejar en el congelador 6 horas más.

VINO BLANCO
ESPUMOSO
DULCE

VARIANTES APETITOSAS 1• Para hacer una tarta helada, el compuesto de sandía puede prepararse en un molde desmontable. **2•** Sustituyendo la sandía por la misma cantidad de frambuesas tendréis un semifrío realmente excepcional.

ENTRANTES

- BOLITAS DE MANZANA
  Y REQUESÓN
- HINOJOS AL CUSCÚS
- CARDOS GRATINADOS
  CON ANCHOAS

ENSALADAS

- ENSALADA DE "REFUERZO"
- ENDIBIAS CON VENTRESCA
- SARTENADA DE PATATAS
  Y REBOZUELOS

PLATOS PRINCIPALES

- CREMA DE APIO-NABO
- SOPA GRATINADA DE CEBOLLAS
- PASTA, PERAS Y GORGONZOLA
- TORTITA DE PUERROS Y PANCETA
- REDONDO DE CERDO
  CON MANZANAS

RECETAS EN BLANCO

DULCES
- **PASTEL DE REQUESÓN AL COCO**
- **PERAS CON PISTACHOS**
- **FLAN DE PIÑA**
- **TARTA DE MANZANAS REINETA**

25′
preparación

0′
cocción

ingredientes para 4 raciones
kcal por ración 174

- 3 MANZANAS VERDES
- 200 G (7 OZ) DE REQUESÓN
- 30 G (1 OZ) DE MANTEQUILLA
- 1 CS DE *BRANDY*
- 3 LIMONES DE CULTIVO ECOLÓGICO
- 1 MANOJO DE MEJORANA O PEREJIL
- SAL Y PIMIENTA

utensilios útiles

- VACIADOR PEQUEÑO

tipo de cocción
NINGUNA

BOLITAS DE MANZANA Y REQUESÓN

FÁCIL Y RÁPIDO DE PREPARAR, ESTE TENTEMPIÉ LIGERO
Y POCO CALÓRICO ES PERFECTO PARA UN APERITIVO
O PARA EMPEZAR UNA CENA ENTRE AMIGOS.

TRABAJAR la mantequilla reblandecida hasta obtener una crema, incorporar el requesón tamizado, sal, pimienta, el *brandy* y unas gotas de zumo de limón. Dejar la crema en la nevera.

MONDAR las manzanas y, con el vaciador, extraer bolitas que sumergiremos en agua acidulada con el zumo de 1 limón.

PICAR la mejorana (o el perejil) y dejarla en un platito. Filetear finamente la parte amarilla de la piel de los limones, picarla y dejarla en otro platito.

ESCURRIR las bolitas de manzana, secarlas y envolverlas en una porción de crema de requesón.

PASAR la mitad de las bolitas por la mejorana y la otra mitad por la piel de limón. Reintroducir en la nevera para que solidifique antes de servir.

VINO BLANCO
SECO

VARIANTES APETITOSAS 1• En el interior de las bolitas de requesón podéis poner una bolita de melón blanco en lugar de la manzana verde. 2• Como alternativa, podéis poner una aceituna verde grande deshuesada.

HINOJOS AL CUSCÚS

ESTE ENTRANTE, QUE RECUERDA LOS SABORES DE ORIENTE, ES UN PLATO BIEN EQUILIBRADO GRACIAS A LAS PROPIEDADES DE VERDURAS, LEGUMBRES, CEREALES Y FRUTA SECA.

25′ preparación

50′ cocción

ingredientes para 4 raciones
kcal por ración 397

- 4 HINOJOS
- 200 G (7 OZ) DE CUSCÚS PRECOCINADO
- 40 G (1.4 OZ) DE PASAS
- 4 ALBARICOQUES SECOS
- 1 CEBOLLA
- 4 CS DE ACEITE DE OLIVA VIRGEN EXTRA
- 100 G (3.5 OZ) DE LENTEJAS ROJAS
- 1,5 DL (5 FL OZ) DE CALDO VEGETAL
- 1/2 LIMÓN
- 2 RAMITAS DE HINOJO SILVESTRE
- SAL Y PIMIENTA

utensilios útiles
- PAPEL DE HORNO

tipo de cocción
EN EL HORNO

PONER en remojo, en agua tibia, las pasas y los albaricoques. Cortar los hinojos por la mitad, vaciarlos y reducir a cubitos el interior. Laminar la cebolla.

CALENTAR 1 cs de aceite en una sartén, agregar la cebolla y los hinojos y cocer 1-2 minutos; a continuación, agregar las lentejas, verter el caldo caliente y cocinar 15 minutos, aproximadamente, hasta que el fondo de cocción haya sido absorbido del todo. Rectificar de sal y pimienta.

HERVIR 2 dl (6,7 fl oz) de agua con otra cs de aceite y una buena pizca de sal y sacarla del fuego. Verter el cuscús removiendo y dejarlo reposar 2 minutos. Poner de nuevo al fuego, cocer 3 minutos y, finalmente, añadir el zumo filtrado del limón, el hinojo silvestre cortado, las pasas estrujadas, los albaricoques troceados y las lentejas.

RELLENAR con el cuscús los hinojos, disponerlos en una gran fuente recubierta con papel de horno, bañar con el aceite restante e introducir en el horno a 180 °C (356 °F) durante 30 minutos, aproximadamente. Dejar enfriar un instante antes de servir.

LA IDEA RÁPIDA

PINZIMONIO
CON ALCAPARRAS

Como entrante, podéis preparar rápidamente un pinzimonio. Para 4 raciones: deshojar 3 hinojos llegando hasta el corazón, que cortaremos en 4 partes, y disponerlo todo en una fuente. Verter en un cuenco 8-10 cs de aceite de oliva virgen extra, 1 cs de alcaparras en vinagre picadas finamente, 1 cs de vinagre balsámico y las barbas de los hinojos cortados. Emulsionarlo todo, dividir la salsa en 4 escudillas y servir el pinzimonio. Cada uno cogerá su trocito de hinojo y lo mojará en su propia escudilla.

VINO BLANCO
SECO JOVEN

VARIANTES APETITOSAS 1• En lugar del cuscús podéis usar la misma cantidad de arroz hervido al dente. 2• Si os apetece, 5 minutos antes de finalizar la cocción, espolvorear con parmesano rallado y dorar en el grill del horno.

30′
preparación

3h
cocción

ingredientes para 4 raciones
kcal por ración 275

- 800 G (28.2 OZ) DE CARDOS
- 4 ANCHOAS EN SAL
- 4 CS DE HARINA BLANCA
- 1 LIMÓN
- 60 G (2.11 OZ) DE MANTEQUILLA
- 1 DL (3.38 FL OZ) DE VINO BLANCO SECO
- 1.5 DL (5 FL OZ) CALDO VEGETAL
- 4 CS DE PARMESANO RALLADO
- 1/4 L (8.5 FL OZ) DE LECHE
- 2 DIENTES DE AJO
- SAL Y PIMIENTA

utensilios útiles
- PAPEL DE ALUMINIO

tipo de cocción
EN LA CAZUELA
Y EN EL HORNO

CARDOS GRATINADOS CON ANCHOAS

UN ENTRANTE INVERNAL REALMENTE SABROSO GRACIAS AL CARÁCTER INTENSO Y GUSTOSO DEL CARDO.

DESLEÍR en una cazuela 2 cs de harina con 1 dl (3,38 fl oz) de agua. Agregar 2 l (67,62 fl oz) de agua, aproximadamente, 1 cs de zumo de limón, salar y llevar a ebullición. Limpiar los cardos eliminando las nervaduras externas y trocearlos extrayendo la piel que los recubre. Frotarlos con el limón. Lavarlos y sumergirlos en el fondo blanco. Cocer durante 2 horas, escurrirlos, secarlos y dejarlos enfriar.

FUNDIR en una cazuela pequeña 20 g (0,7 oz) de mantequilla, añadir la harina restante y dorarla removiendo. Diluir con el vino mezclado con el caldo hirviendo; batir rápidamente con una varilla, salar y cocer la salsa durante 10 minutos.

DISPONER los cardos troceados en una fuente untada con un poco de mantequilla, espolvorearlos con el parmesano y cubrir con la salsa preparada. Echar pimienta molida e introducir en el horno a 180 °C (356 °F) durante 25-30 minutos. Si durante la cocción la superficie adquiriese demasiado color, tapar con una hoja de papel de aluminio.

COCER la leche con los dientes de ajo laminados durante 15-20 minutos. Filtrarla, ponerla en una cazuela con los filetes de anchoa lavados, sin espinas y desmenuzados, y cocer hasta que se forme una crema. Apartar la salsa del fuego, añadir la mantequilla restante troceada y fundirla. Servir los cardos con la salsa de anchoas.

LA ELECCIÓN ADECUADA

SABOR DE INVIERNO

El cardo es una hortaliza típicamente invernal; tiene un sabor que tiende al dulce y recuerda al de la alcachofa. Al comprarse debe ser blanquecino; si está verde es un poco más amargo. Antes de cocerlo, hay que limpiarlo con cuidado, eliminando los duros filamentos y frotándolo con limón para que no oscurezca.

 VINO TINTO
SECO JOVEN

VARIANTES APETITOSAS 1• Preparar de la misma manera el apio blanco o verde, reduciendo los tiempos de cocción: serán suficientes 20 minutos iniciales y otros tantos en el horno. 2• Para transformarlo en plato único: alternar capas de cardos y capas de salchicha desmenuzada y dorada.

10'
preparación
+ 2 h de reposo

10'
cocción

ingredientes para 4 raciones
kcal por ración 130

- 1 COLIFLOR DE 800 G (28,2 OZ), APROXIMADAMENTE
- 2-3 TALLOS DE APIO
- 3 TIRAS DE PIMIENTO ROJO EN VINAGRE
- 3 TIRAS DE PIMIENTO AMARILLO EN VINAGRE
- 4-5 PEPINILLOS EN VINAGRE
- 12 ACEITUNAS NEGRAS
- 8 FILETES DE ANCHOA EN ACEITE
- 3 CS DE VINAGRE DE VINO BLANCO
- 1 DL (3,38 FL OZ) DE ACEITE DE OLIVA VIRGEN EXTRA
- SAL Y PIMIENTA

utensilios útiles
- CESTA PARA LA COCCIÓN AL VAPOR

tipo de cocción
AL VAPOR

ENSALADA DE "REFUERZO"

ESTE PLATO SE PREPARA EN LA REGIÓN ITALIANA DE CAMPANIA PARA ACOMPAÑAR EL PESCADO HERVIDO. SE LLAMA ASÍ PORQUE SE "REFUERZA" AÑADIENDO OTROS INGREDIENTES EN LOS DÍAS SUCESIVOS.

LIMPIAR la coliflor, dividirla en ramilletes y lavarlos bien. Ponerlos en la cesta para la cocción al vapor dispuesta en una cazuela con un poco de agua hirviendo. Tapar bien y dejar cocer 8-10 minutos. Sacar los ramilletes de la cesta cuando estén al dente y dejar que se enfríen completamente.

MONDAR el apio, eliminar los filamentos y cortarlo en bastoncitos. Escurrir las verduras en conserva, cortar los pimientos en tiras finas y los pepinillos en rodajitas.

PONER los ramilletes de coliflor en un cuenco con todos los ingredientes preparados; añadir las aceitunas y los filetes de anchoa, condimentar con sal, pimienta, vinagre y aceite.

REMOVER con cuidado, tapar con una hoja de papel film de cocina y dejar reposar durante 2 horas en la nevera. Antes de servir, disponer la ensalada en una bandeja larga.

LA IDEA RÁPIDA

VERDURAS MIXTAS ENCURTIDAS

Trocear un pimiento rojo y otro amarillo, dividir en ramilletes una coliflor pequeña, mondar una docena de cebolletas y dejarlas enteras, cortar una zanahoria en rodajas y trocear 10 g (0,35 oz) de judías verdes. Poner todas las verduras en una cazuela con 1/2 l (16,9 fl oz) de agua, 1/2 l (16,9 fl oz) de vinagre de vino blanco, 1 cs de azúcar y 1 ct de sal. Llevar a ebullición, cocer 5 minutos y apagar el fuego; dejar reposar en la cazuela tapada hasta que se enfríe completamente. Escurrir y servir con carnes guisadas.

VINO ROSADO
SECO CON CUERPO

VARIANTES APETITOSAS 1• Unas ideas para enriquecer la ensalada: aceitunas verdes, alcaparras, cebollitas en vinagre, setas en aceite. 2• Utilizar variedades mixtas de coliflor, mezclando ramilletes blancos, verdes y violetas.

10'
**preparación
+ 2 h de reposo**

0'
cocción

**ingredientes para 4 raciones
kcal por ración 296**

- 2 ENDIBIAS
- 1 COGOLLO DE ESCAROLA
- 120 G (4,23 OZ) DE VENTRESCA
  DE ATÚN EN ACEITE
  DESMENUZADA
- 1 PUERRO
- 1/2 LIMÓN
- 1 DL (3,38 FL OZ) DE VINAGRE
  DE VINO BLANCO
- 120 G (4,23 OZ) DE QUESO BRIE
- 12 ACEITUNAS NEGRAS
- 4 CS DE ACEITE DE OLIVA
  VIRGEN EXTRA
- SAL Y PIMIENTA

utensilios útiles
- PAÑO DE LINO

tipo de cocción
NINGUNA

ENDIBIAS
CON VENTRESCA

HE AQUÍ OTRA ENSALADA COMO PLATO ÚNICO: PARA COMPLETAR DE MANERA EQUILIBRADA LA COMIDA SÓLO HAY QUE AÑADIR UN PANECILLO Y UNA FRUTA.

PELAR el puerro, lavarlo, cortarlo finamente y dejarlo en un cuenco con el zumo de limón y el vinagre.

CUBRIRLO todo con agua fría y dejar que macere en la nevera durante 2 horas. Escurrir el puerro y secarlo con un paño de lino.

LIMPIAR la endibia y la escarola, lavarlas y escurrirlas: cortar la primera en rodajas y desmenuzar la segunda.

LAMINAR el queso Brie, desmenuzar la ventresca de atún y pasarlos a una ensaladera con los puerros, la endibia, la escarola y las aceitunas.

CONDIMENTAR con el aceite, salpimentar, remover delicadamente y servir directamente en los platos.

SABER HACER

CONDIMENTOS
AROMATIZADOS

*Introducir los aromas en
una botella, verter el aceite
o el vinagre y cerrarla. Son
buenos, por ejemplo, el
aceite aromatizado con
dientes de ajo o el vinagre
enriquecido con romero,
salvia, ajo y guindilla. Este
último se conserva largo
tiempo, mientras que el
aceite debe consumirse
preferiblemente
en 1-2 semanas.*

VINO BLANCO
SECO SABROSO

VARIANTES APETITOSAS 1• En lugar de los puerros usar cebolletas frescas: no será necesario macerarlas 2 horas y, de hecho, pueden comerse incluso crudas. 2• Si no encontráis ventresca, utilizar el atún común en aceite.

15'
preparación

 30'
cocción

SARTENADA DE PATATAS Y REBOZUELOS

ESTA SABROSA Y REFINADA GUARNICIÓN ES IDEAL
PARA ACOMPAÑAR CARNES BLANCAS ASADAS.

ingredientes para 4 raciones
kcal por ración

- 600 G (21,16 OZ) DE PATATAS
  NUEVAS DE PIEL FINA
- 250 G (8,8 OZ) DE REBOZUELOS
  U OTRA SETA DE TEMPORADA
- 2 CHALOTAS
- 40 G (1,4 OZ) DE MANTEQUILLA
- 2 CS DE ACEITE DE OLIVA
  VIRGEN EXTRA
- UNAS RAMITAS DE MEJORANA
- SAL Y PIMIENTA

utensilios útiles
- PAÑO DE LINO

tipo de cocción
A LA SARTÉN

LAVAR bien la piel de las patatas y secarlas. Limpiar las setas eliminando la parte arenosa, lavarlas rápidamente con agua y secarlas con cuidado con un paño de lino. Cortar las más grandes por la mitad o a cuartos y dejar enteras las más pequeñas.

PELAR y dividir en gajos las chalotas. Disolver la mantequilla con el aceite en una sartén grande antiadherente, añadir las patatas y dejar que se doren por todos los lados a fuego vivo.

AGREGAR las chalotas y las setas, bajar el fuego, tapar la sartén y cocer la preparación durante 20 minutos, aproximadamente. A continuación, salpimentar, espolvorear con la mejorana cortada (reservar algunas hojas) y proseguir la cocción otros 10 minutos, esta vez con el recipiente destapado.

DEJAR ENFRIAR un momento y servir esta ensalada tibia de patatas y rebozuelos con su juguito, decorada con una ramita de mejorana.

LA ELECCIÓN ADECUADA

SI SON NUEVAS

Las patatas recogidas anticipadamente se llaman nuevas, no están desarrolladas completamente y tienen la piel muy fina. Sólo si poseen estas características son muy buenas para comer, incluso con la piel. Si no son así, comprar patatas de pequeño tamaño y pelarlas antes de cocerlas. Son buenas y prácticas las patatas nuevas peladas, precocinadas y conservadas al vacío.

 VINO TINTO
SECO

! VARIANTES APETITOSAS 1• En lugar de los rebozuelos, podéis usar también otras variedades de setas que os gusten, por ejemplo boletos o, incluso, simples champiñones. 2• Para lograr un aroma más intenso, sustituir la mejorana por romero y tomillo.

25′ preparación

45′ cocción

CREMA DE APIO-NABO

LOS HOJALDRITOS DE QUESO ENRIQUECEN ESTA DELICADA SOPA QUE, POR SÍ SOLA, YA PUEDE CONSIDERARSE UN PLATO HIPOCALÓRICO.

ingredientes para 4 raciones
kcal por ración 423
(únicamente 145 sin los hojaldritos)
- 500 G (17,6 OZ) DE APIO-NABO
- 1 LIMÓN
- 200 G (7 OZ) DE PATATAS
- 1 CEBOLLA
- 2 CS DE ACEITE DE OLIVA VIRGEN EXTRA
- 1 L (33,8 FL OZ) DE CALDO VEGETAL
- 1 RAMITA DE PERIFOLLO FRESCO
- SAL Y PIMIENTA

para los hojaldritos
- 1 ROLLO DE HOJALDRE FRESCO
- 50 G (1.76 OZ) DE PARMESANO RALLADO

utensilios útiles
- PELADOR DE PATATAS
- RODILLO
- BATIDORA

tipo de cocción
EN LA CAZUELA Y EN EL HORNO

LIMPIAR el apio-nabo eliminando la piel dura con la ayuda del pelador, cortarlo en daditos y ponerlo en agua acidulada con el zumo de limón. Mondar las patatas y cortarlas también en daditos.

PICAR la cebolla y rehogarla en una cazuela con el aceite y 2 cs de agua. Pasados 5 minutos, añadir las patatas y el apio escurrido; dejar que absorban el sabor y verter el caldo. Tapar y cocer 30-40 minutos a fuego medio.

MIENTRAS TANTO, desenrollar el hojaldre, espolvorearlo con el queso y pasar el rodillo por encima. Recortar la masa en pequeños rombos, disponerlos en una fuente grande recubierta con papel de horno e introducir en el horno a 200 ºC (392 ºF) durante 10 minutos, aproximadamente, hasta que la superficie esté crujiente.

BATIR la sopa ya lista, rectificar de sal y de pimienta, espolvorear con las hojitas de perifollo, distribuir por encima los hojaldritos de queso y servir enseguida.

LA IDEA RÁPIDA

SOPA LIGERA

Probar esta delicada sopa: cortar en daditos 1 apio-nabo, 1 patata y 2 zanahorias. Poner las verduras a cocer en caldo vegetal añadiendo 1/2 pechuga de pollo cortada en tiras pequeñas; servir la sopa muy caliente. Para lograr una aroma más intenso, escoger el apio-nabo de Verona, más aromatizado y sabroso que otras variedades.

VINO ROSADO SECO

VARIANTES APETITOSAS 1• Podéis sustituir los hojaldritos por cuadraditos de pan de molde tostados al horno. 2• Utilizar 300 g (10,58 oz) de filetes de pescadilla en lugar de las patatas; obtendréis una sopa de pescado blanco muy delicada.

20′
preparación

1h 10′
cocción

ingredientes para 4 raciones
kcal por ración 383 (pan incluido)

- 1 KG (2,2 LB) DE CEBOLLAS BLANCAS
- 80 G (2,82 OZ) DE MANTEQUILLA
- 1 L (33,8 FL OZ) DE CALDO VEGETAL
- 40 G (1,4 OZ) DE HARINA BLANCA
- 2 YEMAS
- 100 G (3,5 OZ) DE QUESO FONTINA
- 1 BARRA DE PAN PEQUEÑA
- SAL Y PIMIENTA

utensilios útiles

- 4 ESCUDILLAS DE BARRO INDIVIDUALES

tipo de cocción
A LA SARTÉN
Y EN EL HORNO

VINO TINTO
SECO GUSTOSO

SOPA GRATINADA DE CEBOLLAS

UNA SOPA REVITALIZANTE PERFECTA EN LOS DÍAS FRÍOS, PARA DEGUSTAR HUMEANTE Y RECIÉN SALIDA DEL HORNO.

LAMINAR finamente las cebollas, cocerlas en una gran sartén con 20 g (0,7 oz) de mantequilla durante 1-2 minutos, verter la mitad del caldo y dejar 40 minutos con el recipiente descubierto removiendo de vez en cuando.

FUNDIR 40 g (1,4 oz) de mantequilla en una cazuela pequeña, añadir la harina, tostarla y, cuando adquiera un color marrón claro, verter el caldo caliente restante. Poner de nuevo en el fuego y cocer unos minutos hasta obtener una salsa aterciopelada bastante fluida.

RECTIFICAR de sal y pimienta. Dejar enfriar y, a continuación, agregar las yemas. Untar con mantequilla 4 escudillas de barro individuales, poner sobre el fondo unas cs de salsa, verter las cebollas, un poco más de salsa, y espolvorear con el queso fontina en virutas.

INTRODUCIR en el horno a 180 ºC (356 ºF) durante 30 minutos. Servir directamente en las escudillas, acompañando con rebanadas de pan.

POR QUÉ ES SALUDABLE

PANACEA DESDE LA ANTIGÜEDAD

Las propiedades benéficas de la cebolla son conocidas desde la antigüedad. Egipcios y griegos la incluían como alimento sublime para los militares que estaban en la guerra. Los romanos reforzaban con ella a los gladiadores para darles más vigor. Las opiniones en los estudios modernos son divergentes: según algunos, la cebolla poseería realmente virtudes revitalizantes debidas a un principio activo especial; según otros, no existen pruebas científicas válidas. Lo que si es cierto es que la cebolla tiene un bajo contenido calórico (26 kcal por cada 100 g -3,5 oz-) y nutritivo en general y que, consumida cruda, estimula la secreción gástrica.

VARIANTES APETITOSAS 1• Podéis preparar una sopa parecida, pero más aromática, con 1/2 kg (17,6 oz) de cebollas y 1/2 kg (17,6 oz) de hinojos. El procedimiento es el mismo indicado en la receta. 2• Más fácil es la sopa sólo con cebollas rehogadas, queso y pan tostado en lugar de la salsa.

15'
preparación

10'
cocción

ingredientes para 4 raciones
kcal por ración 478

- 320 G (11,28 OZ) DE PASTA
  DE SÉMOLA EN FORMA
  DE PLUMAS ACANALADAS
- 2 PERAS CONSISTENTES
  Y MADURAS
- 100 G (3,5 OZ) DE GORGONZOLA
  PICANTE
- 2 CS DE PISTACHOS PELADOS
- 6 PIMIENTOS VERDES DULCES
  EN VINAGRE
- 1 MANOJO DE CEBOLLINO
- 2 CS DE ACEITE DE OLIVA
  VIRGEN EXTRA
- SAL Y PIMIENTA

utensilios útiles
- BATIDORA
- PAPEL ABSORBENTE DE COCINA

tipo de cocción
EN LA CAZUELA

PASTA, PERAS Y GORGONZOLA

QUESO CON PERAS PARA ESTAS PLUMAS: UNA UNIÓN TRADICIONAL QUE AÚNA LO DULCE CON LO PICANTE.

ESCALDAR los pistachos 1 minuto, escurrirlos y dejarlos enfriar. Secarlos bien y pasarlos por la batidora para picarlos finamente.

ESCURRIR los pimientos verdes, secarlos con papel absorbente de cocina y trocearlos.

PELAR las peras y cortarlas finamente. Dividir en 3 o 4 trozos unos cebollinos y picar el resto.

HERVIR la pasta en abundante agua salada, escurrirla *al dente*, verterla en un cuenco y condimentarla con el aceite, una pizca de pimienta y el cebollino picado.

AÑADIR el gorgonzola troceado, las peras ya listas, los pimientos y los pistachos picados. Removerlo todo con cuidado y dejar enfriar. Decorar con los tallos de cebollino reservados y llevar a la mesa.

LA IDEA RÁPIDA

ESPIRALES CON PESTO DE PISTACHOS

Para 4 raciones: batir 50 g (1,76 oz) de pistachos pelados con una rebanada de pan de molde troceada y sin corteza, 2-3 cs de aceite de oliva virgen extra, sal y pimienta. Condimentar 400 g (14 oz) de pasta de sémola en forma de espiral, diluyendo el pesto con 1 cs del agua de cocción. Espolvorear con queso provolone en virutas y servir.

VINO BLANCO
SECO JOVEN

VARIANTES APETITOSAS 1• Quedan más delicadas las plumas con queso crescenza en lugar del gorgonzola. 2• Si lo preferís, podéis sustituir los pistachos por nueces para recrear su clásica unión con el gorgonzola.

20'
preparación

30'
cocción

TORTITA DE PUERROS Y PANCETA

UNA IDEA SIMPÁTICA PARA VARIAR UN POCO LAS TORTAS SALADAS: FÁCIL DE PREPARAR Y SABROSA, ESTA TORTITA PUEDE ELABORARSE TAMBIÉN CON OTRAS VERDURAS.

ingredientes para 4 raciones
kcal por ración 324

- 2 PUERROS
- 50 G (1,76 OZ) DE PANCETA EN DADOS
- 30 G (1 OZ) DE MANTEQUILLA
- 8 REBANADAS GRANDES DE PAN DE MOLDE
- 1 CS DE MOSTAZA DE DIJON
- 2 HUEVOS
- 100 G (3,5 OZ) DE QUESO ROBIOLA
- 3-4 CS DE LECHE
- NUEZ MOSCADA RALLADA
- SAL Y PIMIENTA

utensilios útiles

- MOLDE CUADRADO DE 18 CM (7 PULG.)
- PAPEL DE HORNO

tipo de cocción
A LA SARTÉN
Y EN EL HORNO

ELIMINAR un poco de la parte verde de los puerros, enjuagarlos y cortarlos en bastoncitos. Fundir la mitad de la mantequilla en una sartén, añadir los puerros y dejar que absorban el sabor durante 1-2 minutos; a continuación, verter 2-3 cs de agua caliente. Salpimentar y cocer durante 10 minutos, aproximadamente.

UNTAR el pan de molde con la mantequilla restante y la mostaza. Cortar cada rebanada en 2 rectángulos y, con estos, recubrir el fondo y las paredes del molde cuadrado forrado con papel de horno, superponiéndolos ligeramente entre ellos.

BATIR en un cuenco los huevos con el queso robiola, desliéndolo bien, la leche, una pizca de sal y la nuez moscada.

DISPONER sobre el pan los puerros y la panceta dorada en la sartén con su grasa. Distribuir por encima los huevos batidos. Cocer en el horno a 180 ºC (356 ºF) durante 15-20 minutos. Servir la torta caliente o templada.

LA IDEA RÁPIDA

CANAPÉS DE CÓCTEL

Disponer en una sartén 150 g (5,29 oz) de verduras para sofrito congeladas con 2 cs de aceite, bañar con 2 cs de vino blanco y cocer 5 minutos; espolvorear con perejil picado. Eliminar la corteza de unas cuantas rebanadas de pan de molde, cortarlas en 4 pequeños cuadraditos y tostarlos. Untarlas con mahonesa, agregar las verduras y servir.

 VINO BLANCO SECO JOVEN

VARIANTES APETITOSAS 1• La tortita con endibia guisada, completada con el compuesto de huevo y la panceta, es deliciosa. 2• También funcionan bien los espárragos, pero con daditos de jamón cocido.

REDONDO DE CERDO CON MANZANAS

LA CARNE DE CERDO, COMO LA DEL POLLO, COMBINA BIEN CON LA FRUTA. LA UNIÓN CON LAS MANZANAS ES DE TRADICIÓN ALEMANA.

20′
preparación
+ 30′ de reposo

1h 20′
cocción

ingredientes para 4 raciones
kcal por ración 420

- 800 G (28,2 OZ) DE LOMO DE CERDO
- 4 MANZANAS ROYAL GALA
- 3 CS DE ACEITE DE OLIVA VIRGEN EXTRA
- 1 DIENTE DE AJO
- 120 G (4,23 OZ) DE PANCETA DULCE EN TAJADITAS
- 2 RAMITAS DE ARRAYÁN
- 2 HOJAS DE LAUREL
- 1 RAMITA DE CANELA
- 0,8 DL (2,7 FL OZ) DE LICOR DE ARRAYÁN
- 20 G (0,7 OZ) DE MANTEQUILLA
- SAL Y PIMIENTA

utensilios útiles
- CORTADOR DE MANZANAS
- HILO DE RAFIA

tipo de cocción
A LA SARTÉN
Y EN EL HORNO

MONDAR una manzana y cortarla en rodajas muy finas; ponerlas en un cuenco con 1 cs de aceite, el ajo majado (que eliminaremos posteriormente) y una pizca de pimienta. Dejar reposar 30 minutos.

CORTAR el lomo lateralmente haciendo una incisión profunda para poder abrirlo en forma de libro; salarlo ligeramente, rellenarlo con la manzana aromatizada y cerrarlo.

ENVOLVER el lomo con los trozos de panceta y atarlo, introduciendo bajo el hilo 1 ramita de arrayán; dorarlo en una sartén antiadherente con el aceite restante, pasarlo a una fuente, añadir la otra ramita de arrayán, el laurel y la canela.

BAÑAR el lomo con el licor y tapar con 1 hoja de papel de aluminio. Cocer en el horno a 180 °C (356 °F) durante 1 hora y 15 minutos, dando la vuelta al redondo a media cocción y remojando con unas gotas de agua si fuera necesario.

CORTAR las otras manzanas en gajos regulares usando, si es posible, el utensilio para este menester. Dorarlos en una sartén con la mantequilla y añadirlos a la carne 5 minutos antes de finalizar la cocción. Cortar el redondo y servirlo con las manzanas.

POR QUÉ ES SALUDABLE

UNA MANZANA AL DÍA

¿Es real o ficticio aquel dicho que dice que la manzana tiene poderes suficientes como para mantener a los médicos alejados? Parece ser una media verdad. Desde el punto de vista nutricional, la manzana ofrece bien poca cosa, y en comparación contiene menos vitamina A y C que otras frutas. Pero se aconseja comerla al término de la comida por sus propiedades digestivas y porque ayuda a curar los resfriados. La naturaleza siempre nos sorprende, y los investigadores siguen estudiando la relación causa-efecto a falta de pruebas científicas.

VINO BLANCO
SECO AFRUTADO

VARIANTES APETITOSAS 1• La misma receta puede elaborarse con peras, con un resultado más dulce. 2• O con manzanas verdes, que dan al plato un sabor más áspero. 3 • Si os apetece, untar la carne con mostaza de Dijon antes de rellenarla con la fruta.

20′ preparación
+ 4 h 15′
para enfriarse

0′ cocción

ingredientes para 6-8 raciones
kcal por ración 560-420

- 400 G (14 OZ) DE REQUESÓN O QUESO FRESCO CREMOSO
- 30 G (1 OZ) DE COCO DESHIDRATADO RALLADO
- 100 G (3,5 OZ) DE MANTEQUILLA
- 180 G (6,34 OZ) DE BIZCOCHOS
- 2 LIMAS DE CULTIVO ECOLÓGICO
- 3 PLÁTANOS
- 80 G (2,82 OZ) DE AZÚCAR
- 1 LIMÓN
- 1 TROCITO DE COCO FRESCO

utensilios útiles
- BATIDORA
- MOLDE DESMONTABLE DE 18 CM (7 PULG.) DE DIÁMETRO

tipo de cocción
NINGUNA

PASTEL DE REQUESÓN AL COCO

TRIUNFO DEL BLANCO EN ESTE SABROSO POSTRE A BASE DE COCO Y PLÁTANO, AMBAS FRUTAS RIQUÍSIMAS EN SALES MINERALES Y VITAMINAS.

FUNDIR en una cazuela pequeña la mantequilla a fuego muy bajo y dejarla enfriar un poco. Picar los bizcochos con la batidora hasta reducirlos a un polvo fino; añadir la mantequilla con el aparato en marcha.

RECUBRIR con papel de horno el molde desmontable, distribuir por el fondo y las paredes el compuesto de mantequilla y bizcochos compactándolo con el dorso de una cuchara y dejar en la nevera 15 minutos.

MIENTRAS TANTO, lavar 1 lima, secarla y extraer la piel con un pelador de limones o un cuchillo. Batir 2 plátanos con el zumo de las 2 limas y el azúcar. Trabajar el requesón hasta obtener una crema y, a continuación, incorporar el batido de plátano y el coco deshidratado.

VERTER la crema preparada en el molde, nivelar la superficie, tapar con 1 hoja de papel film y dejar enfriar 4 horas en la nevera.

DESMOLDAR la tarta en un plato de presentación, decorar con rodajitas del plátano restante pasadas por el zumo de limón, con el coco fresco laminado y las pielecitas de lima. Servir enseguida.

LA IDEA RÁPIDA

BOMBONES CONFITADOS

Trabajar 100 g (3,5 oz) de requesón y 100 g (3,5 oz) de mascarpone con 2 cs de azúcar hasta obtener una crema: dejar en la nevera durante 1 hora. Cuando esté solidificado, hacer varias bolitas y pasarlas por el coco deshidratado recubriéndolas bien. Dejar 1 hora más en la nevera y servir.

VINO BLANCO
DULCE LICOROSO

VARIANTES APETITOSAS 1• Sobre la base de esta receta, preparar pastel de queso con otras frutas frescas, por ejemplo melocotones o fresas. 2• También es deliciosa la versión exótica, obtenida al batir conjuntamente pulpa de mango y de papaya.

20′ preparación

10′ cocción

ingredientes para 4 raciones
kcal por ración 225

- 4 PERAS DE CULTIVO ECOLÓGICO NO DEMASIADO MADURAS
- 60 G (2,11 OZ) DE PISTACHOS DESCASCARADOS
- 1 LIMÓN
- 2 YEMAS
- 30 G (1 OZ) DE AZÚCAR
- 3 CS DE AGUARDIENTE

utensilios útiles
- BATIDORA
- VARILLA

tipo de cocción
AL BAÑO MARÍA

PERAS CON PISTACHOS

EN ESTE POSTRE, UNA DENSA Y SUAVE CREMA SABAYÓN CON PISTACHOS ENVUELVE CÁLIDAMENTE LAS PERAS CRUJIENTES.

ESCALDAR los pistachos, eliminar la piel y secarlos bien con un paño de lino. Pasarlos por la batidora (reservar 1 cs) y picarlos muy finamente. Lavar las peras, extraer el corazón y pasarlas por agua acidulada con el zumo del limón.

BATIR las yemas en una pequeña cazuela con el azúcar y la ayuda de una cuchara hasta obtener un compuesto casi blanco y espumoso. A continuación, incorporar los pistachos picados y el aguardiente.

PONER la cazuela al baño María: hervir 2-3 dedos de agua en una olla más grande, sumergir la cazuela con los huevos montados y remover con la varilla mientras hierve el agua del baño María.

REMOVER a menudo y, pasados 10 minutos, la crema empezará a montarse y, mientras removemos, la varilla dejará pequeños surcos. Ello indica que el sabayón con pistachos está listo, mostrándose suave y ligeramente espumoso. No debe llegar nunca al hervor, ya que se tornaría fluido.

ESCURRIR las peras, distribuirlas en 4 platos de postre, verter el sabayón caliente por encima, espolvorear con los pistachos reservados y picados. Servir enseguida.

LA ELECCIÓN ADECUADA

PERAS A LA MIEL

Las variedades de peras son muchas, y todas son buenas para comer crudas. Si se quieren cocinar, es mejor elegir las kaiser o las decana. Probar estas últimas peladas y cocidas enteras en vino blanco seco durante 10-15 minutos. Disponerlas en platitos; filtrar el fondo de cocción, mezclarlo con 2 cs de miel y recalentarlo. Servir las peras con el almíbar de miel, láminas de almendras y hojas de menta.

VINO BLANCO LICOROSO DE UVA MOSCATEL

VARIANTES APETITOSAS 1• El sabayón al natural (para 1 ración) se prepara con 1 yema, 2 cs de azúcar y 2 cs de vino dulce tipo Marsala o moscatel. Puede tomarse solo, con fruta o con bizcochos.
2• La manzana reineta puede cocinarse de la misma manera.

20′
preparación

5′
preparación

ingredientes para 4 raciones
kcal por ración 285

• 1 PIÑA DE UNOS 600 G (21,16 OZ)
• 1 DL (3,38 FL OZ) DE RON
• 4 HUEVOS
• 80 G (2,82 OZ) DE AZÚCAR
• 1 CT DE CANELA
• 1 CT DE JENGIBRE RALLADO
• 100 G (3,5 OZ) DE PAN DE MOLDE
• 2 CS DE COCO DESHIDRATADO

utensilios útiles

• BATIDORA
• 4 MOLDE DE *PYREX* PARA
  FLAN O PUDÍN

tipo de cocción
EN EL HORNO

FLAN
DE PIÑA

ESTA FRUTA POSEE RECONOCIDAS PROPIEDADES DIGESTIVAS GRACIAS A SU PARTICULAR ENCIMA, QUE CONTRIBUYE A QUE EL FLAN SEA LIGERO Y DELICADO.

PELAR la piña, cortarla en daditos y bañarla con el ron. Montar las yemas (guardar las claras) con el azúcar hasta obtener un compuesto inflado y espumoso; a continuación, añadir la canela y el jengibre.

MONTAR también las claras a punto de nieve firme e incorporarlas delicadamente al compuesto de yemas con la ayuda de un tenedor, removiendo de abajo hacia arriba y viceversa.

BATIR el pan de molde, distribuirlo en 4 moldes y disponer encima los daditos de piña; agregar el coco, cubrir con el compuesto de huevos y hornear a 220-240 ºC (428-464 ºF) durante 5 minutos, aproximadamente.

DEJAR ENFRIAR estos pequeños flanes durante 2-3 minutos y servirlos directamente en los moldes.

LA IDEA RÁPIDA

MINISORBETES

Para 8 sorbetes: batir 300 g (10,58 oz) de pulpa de melón con 5-6 cs de zumo de naranja. Verter el compuesto en 8 vasitos pequeños de papel y dejarlos en el congelador 30 minutos. Batir 200 g (7 oz) de pulpa de piña con 5 cs de agua y unas hojas de menta. Agregar este compuesto al anterior, dejar solidificar en el congelador y, antes de que se enfríe completamente, introducir los palos.

VINO BLANCO
DULCE ESPUMOSO

VARIANTES APETITOSAS 1• Estos flanes están muy buenos elaborados con pulpa de manzana verde en lugar de la piña. 2• También se pueden preparar con otras frutas dependiendo de la estación del año: por ejemplo, melocotones, grosellas o uva.

TARTA DE MANZANAS REINETA

UN CLÁSICO QUE NUNCA DEFRAUDA: LA TARTA DE MANZANA, ENRIQUECIDA EN ESTE CASO CON UNA CAPA DE CONFITURA DE ALBARICOQUES.

30′ preparación + 10′ de reposo

30′ cocción

ingredientes para 8-10 raciones
kcal por ración 331-26
- 3 MANZANAS REINETA
- 4-5 CS DE CONFITURA DE ALBARICOQUES
- 2-3 CS DE AZÚCAR GLAS

para la masa
- 260 G (9 OZ) DE HARINA BLANCA
- 1 PIZCA DE LEVADURA PARA DULCES
- 100 G (3,5 OZ) DE AZÚCAR
- 1/2 LIMÓN DE CULTIVO ECOLÓGICO
- 130 G (4,5 OZ) DE MANTEQUILLA
- 1 HUEVO Y 1 YEMA
- SAL

utensilios útiles
- TARTERA DE 24 CM (9,44 PULG.) DE DIÁMETRO

tipo de cocción
EN EL HORNO

PARA LA MASA: mezclar 250 g (8,8 oz) de harina con la levadura, el azúcar, la piel de limón rallada y una pizca de sal. Agregar 125 g (4,4 oz) de mantequilla troceada y trabajarlo todo con la punta de los dedos hasta obtener un compuesto granuloso.

HACER UN "VOLCÁN" y descascarar en el centro el huevo entero y la yema; amasar rápidamente. Formar una bola, envolverla en una hoja de papel film y dejar en la nevera durante 10 minutos, aproximadamente.

MIENTRAS TANTO, pelar las manzanas y cortarlas en gajitos, pasándolas por agua acidulada con el zumo del limón.

ESTIRAR la masa y recubrir con ella la tartera untada con mantequilla y enharinada. Agujerear la superficie y cubrirla con la confitura de albaricoque. Disponer por encima los gajitos de manzana escurridos y secos dándoles una forma de abanico y superponiéndolos ligeramente. Espolvorear con el azúcar glas.

INTRODUCIR la tarta en el horno a 180 °C (356 °F) durante 25-30 minutos. Servir la tarta templada o fría.

VINO BLANCO LICOROSO

VARIANTES APETITOSAS 1• En lugar de la confitura de albaricoques, untar la superficie con crema pastelera.
2• O recubrir la base de la tarta con una capa fina de bizcocho bañado con licor y con granillo de almendras; colocar las manzanas encima.

ENTRANTES

- LANGOSTA CON CÍTRICOS
- FARDOS DE JAMÓN

ENSALADAS

- VERDURAS Y SETAS
  A LA VINAGRETA
- NARANJAS Y AGUACATE
  CON SALMÓN

PLATOS PRINCIPALES

- CREMA EN AMARILLO
  CON CALABAZA Y MAÍZ
- LENGUADO A LA NARANJA
- PAVO CON SALSA
  DE ZANAHORIAS

RECETAS EN NARANJA

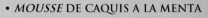

DULCES
- TARTA CON CREMA DE LIMA
- TARTITAS DE ZANAHORIAS Y CHOCOLATE
- *MOUSSE* DE CAQUIS A LA MENTA

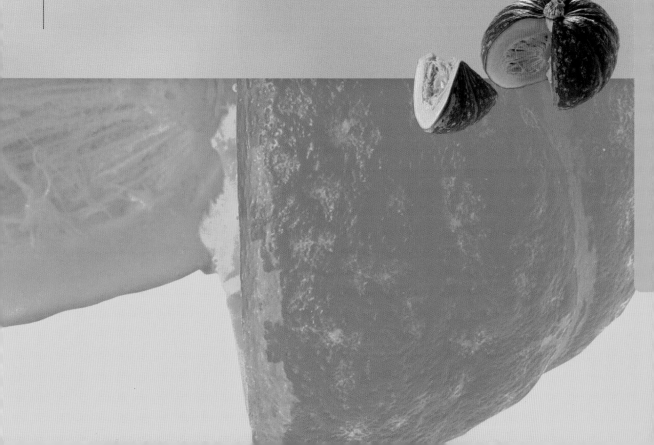

20' preparación · 16' cocción

ingredientes para 4 raciones
kcal por ración 175

- 2 LANGOSTAS DE 800 G (28,2 OZ)
  CADA UNA, APROXIMADAMENTE
- 1 NARANJA DE CULTIVO
  ECOLÓGICO
- 1 LIMÓN DE CULTIVO
  ECOLÓGICO
- 1 CEBOLLA
- 1 ZANAHORIA
- 1 TALLO DE APIO
- 4 CALABACINES
- 4 CS DE ACEITE DE OLIVA
  VIRGEN EXTRA
- 1 TOMATE SECO
- 1/2 CT DE GRANOS
  DE PIMIENTA ROJA
- SAL

utensilios útiles

- CAZUELA OVAL
- PELADOR DE PATATAS
- TIJERAS DE COCINA

tipo de cocción
EN LA CAZUELA

LANGOSTA CON CÍTRICOS

PARA EMPEZAR LA COMIDA CON ESTILO, UN ENTRANTE MUY DETALLISTA, RICO EN PROTEÍNAS Y SODIO, APORTADOS POR LA LANGOSTA, Y DE VITAMINA C, PRESENTE EN LOS CÍTRICOS.

PONER abundante agua en la cazuela oval y cocer durante 5 minutos la cebolla, la zanahoria y el apio con una pizca de sal, una tira de piel de naranja y una de limón; a continuación, sumergir las langostas. Tapar la cazuela y cocer durante 1 minuto. Escurrir los crustáceos y dejarlos enfriar. Entonces, atar un cazo de madera a los extremos ventrales de las langostas para mantener la cola recta y volver a sumergirlas en el líquido hirviendo. Cocer 10 minutos, escurrirlas y dejarlas enfriar.

DESPUNTAR los calabacines, lavarlos, secarlos, cortarlos en forma de cinta con el pelador de patatas y escaldarlos 5-6 segundos en agua hirviendo con un poco de sal; escurrirlos y enfriarlos en agua helada para cortar la cocción y mantenerlos crujientes. Pelar la naranja y el limón, eliminando también la piel blanca que recubre la pulpa, y cortarlos en daditos; recoger el zumo en un bol.

SEPARAR las cabezas de las langostas, cortar la cáscara que recubre la cola con las tijeras de cocina, extraer la carne y cortarla finamente. Disponer las cintas de calabacín en 4 platos, apoyar encima los trozos de carne de langosta, añadir la pulpa de los cítricos y condimentarlo todo con el zumo de los mismos emulsionado con el aceite, una pizca de sal, el tomate seco troceado y los granos de pimienta roja ligeramente majados.

LA IDEA RÁPIDA

MAHONESA AROMATIZADA

Aparte, para acompañar este entrante de langosta, podéis preparar una mahonesa a los cítricos. Batir un vasito de mahonesa con 1 cs de zumo de limón y 1 de zumo de naranja filtrados con un colador. Añadir 1 pizca de pimienta y de perejil picado y servir. O mezclar la mahonesa con unas gotas de vinagre balsámico y unas hojitas de anís fresco picado finamente.

VINO BLANCO
GUSTOSO ARMÓNICO

VARIANTES APETITOSAS **1•** Esta receta está muy buena utilizando como ingrediente principal el bogavante o el langostino. **2•** La langosta, servida tibia con un puré de tomate suave sobre el fondo del plato y todo aromatizado con albahaca fresca picada, es deliciosa.

15′
preparación

 0′
cocción

FARDOS DE JAMÓN

LAS VITAMINAS A Y C DEL MELÓN Y LAS PROTEÍNAS DEL JAMÓN, COMPLETADAS CON LOS CARBOHIDRATOS APORTADOS POR EL PAN, HACEN DE ESTE ENTRANTE UN PLATO COMPLETO Y EQUILIBRADO.

ingredientes para 4 raciones
kcal por ración 206
- 250 G (8,8 OZ) DE JAMÓN CORTADO NO MUY FINAMENTE
- 1 MELÓN
- 70 G (2,4 OZ) DE QUESO EMMENTAL
- 1 MANOJO DE CEBOLLINO

utensilios útiles
- UN CUCHILLO DE CERÁMICA

tipo de cocción
NINGUNA

CORTAR el melón por la mitad, eliminar las semillas, cortarlo en trozos grandes y quitar la piel. A continuación, cortar los trozos con un cuchillo afilado (sería mejor utilizar uno de cerámica que, además de ser muy cortante, evita la rápida oxidación de la fruta). Deberemos obtener pequeñas trozos finos.

ELIMINAR la grasa del jamón, disponer las lonchas sobre una tabla de cortar, poner encima de cada una de ellas unas virutas finas de queso y superponer los trozos de melón, colocando más de uno por cada loncha de jamón.

ENROLLAR el jamón y cerrarlo formando un fardo, atarlo con los tallos entrelazados de cebollino y anudarlos delicadamente para que no se rompan.

DISPONER los fardos de jamón y melón en un plato de presentación, decorar con hojitas de perejil fresco y servir enseguida.

AGUACATE Y QUESO DE OVEJA
Acercar la fruta a ingredientes salados es una antigua costumbre: además del jamón con melón, cabe recordar también las peras con queso de oveja, el salami con higos o la uva con parmesano. Las nuevas tendencias sugieren otras propuestas: probar el aguacate troceado con queso de oveja en virutas finas y hierbas aromáticas.

 VINO BLANCO SECO ATERCIOPELADO

VARIANTES APETITOSAS 1• Si elimináis el queso de los ingredientes, el entrante será igualmente sabroso y menos calórico: sólo 138 kcal por ración. 2• En lugar del queso emmental, podéis utilizar un queso fresco más delicado, tipo robiola o crescenza.

15'
preparación

15'
cocción

ingredientes para 4 raciones
kcal por ración 135

- 400 G (14 OZ) DE COLES
  DE BRUSELAS
- 300 G (10,58 OZ) DE CALABAZA
  SIN PIEL
- 3 BOLETOS PEQUEÑOS
- 4 CS DE ACEITE DE OLIVA
  VIRGEN EXTRA
- 2 RAMITAS DE TOMILLO
- 1 DIENTE DE AJO
- 2 CS DE VINAGRE DE VINO
  BLANCO
- 1 CT DE AZÚCAR
- 1 RAMILLETE DE PEREJIL
- SAL Y PIMIENTA

utensilios útiles

- ESPUMADERA
- VARILLA

tipo de cocción
EN LA CAZUELA Y A LA SARTÉN

VERDURAS Y SETAS A LA VINAGRETA

UNA GUARNICIÓN SABROSA E HIPOCALÓRICA, ADECUADA PARA ACOMPAÑAR FILETES DE PESCADO COCIDOS AL VAPOR O EMPANADOS Y FRITOS.

SEPARAR las hojas más grandes de las coles y reservarlas. Dividir los corazones en 4 partes. Eliminar las semillas y los filamentos de la calabaza y cortarla no muy finamente, ya que tiende a deshacerse. Limpiar las setas y laminarlas.

COCER la calabaza en una cazuela con agua hirviendo salada durante 10 minutos y escurrirla con la espumadera. En la misma agua, cocer durante 5 minutos los corazones de las coles y sus hojas; escurrirlas, dejarlas enfriar y ponerlas en un cuenco junto con las setas y la calabaza.

SOFREÍR el tomillo y el ajo majado con el aceite; antes de que el ajo se dore, sacarlo y añadir el vinagre, el azúcar, sal y pimienta y dejar unos instantes al fuego.

BATIRLO todo con una varilla hasta obtener una salsa homogénea y verterla sobre las verduras. Agregar el perejil picado y servir la ensalada tibia acompañando con rebanadas de pan tostado.

ENSALADA COLORIDA

He aquí otra idea para una ensalada tibia a la vinagreta: para 6 raciones, cortar en anillas 2 pimientos amarillos; pelar y cortar una zanahoria en trozos transversales finos; dividir en cuartos y cortar un hinojo y una cebolla. Dorar las verduras en una sartén con 3 cs de aceite, salpimentar, espolvorear con 1 cs de azúcar y verter 1/2 vaso de vinagre de vino blanco. Cocer durante 15 minutos, aproximadamente, dejar enfriar y servir.

VINO BLANCO
SECO AROMÁTICO

VARIANTES APETITOSAS 1• En lugar de los boletos, podéis utilizar champiñones; estas setas, bien frescas, también son buenas crudas. 2• Si no os gusta el sabor dulce de la calabaza, sustituirla por 2 zanahorias cortadas en bastoncitos y cocidas también 10 minutos.

20'
preparación

0'
cocción

NARANJAS Y AGUACATE CON SALMÓN

HE AQUÍ UNA ENSALADA ELABORADA CON UNA AGRADABLE MEZCLA DE FRUTA, VERDURA Y PESCADO: UN PLATO ÚNICO COMPLETO Y RICO EN VITAMINA C GRACIAS A LA PRESENCIA DE LA NARANJA.

ingredientes para 4 raciones
kcal por ración 275
- 2 NARANJAS
- 1 AGUACATE
- 250 G (8,8 OZ) DE SALMÓN AHUMADO CORTADO
- 1 PUÑADO DE RÚCULA
- 4 CS DE ACEITE DE OLIVA VIRGEN EXTRA
- 1 LIMA O 1 LIMÓN VERDE
- 4-5 GOTAS DE SALSA WORCESTER
- 1 LIMÓN
- SAL Y PIMIENTA

utensilios útiles
- CUCHILLO DE CERÁMICA

tipo de cocción
NINGUNA

PELAR las naranjas, eliminando también la piel blanca que recubre la pulpa, con un cuchillo de cerámica o con una hoja bien afilada; recoger el zumo en un bol y cortarlas en gajos. Lavar la rúcula, reservar algunas hojas enteras y desmenuzar las otras.

PREPARAR la *citronette*: agregar en el bol, junto al zumo de naranja, el aceite, el zumo de la lima filtrado, la salsa Worcester, una pizca de sal y otra de pimienta; emulsionarlo todo batiendo con un tenedor.

CORTAR por la mitad y a lo largo el aguacate usando el cuchillo de cerámica y eliminar el hueso; pelarlo, cortarlo en tajaditas y pasarlas por el zumo de limón para que no ennegrezcan.

COMPONER la ensalada: disponer en las paredes de 4 ensaladeras pequeñas las hojas enteras de rúcula alternándolas con los trozos de salmón. Colocar en corona los gajos de naranja, poner en el centro la rúcula restante y el aguacate, y condimentar con la *citronette*.

LA EXPERIENCIA ENSEÑA

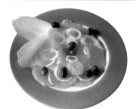

ENSALADA DE NARANJAS Y ACEITUNAS

Una receta clásica con naranjas: para 4 raciones, pelar 2-3 naranjas, cortarlas y recoger en un bol el zumo que desprendan. Disponer los gajos en 4 platos, distribuir por encima unas anillas de cebolleta fresca y 7-8 aceitunas negras por persona. Verter en el bol con el zumo de naranja 4 cs de aceite de oliva virgen extra, sal y pimienta. Condimentar la ensalada de naranja, decorar con hojas de endibia y servir.

 VINO ROSADO SECO INTENSO

VARIANTES APETITOSAS 1• Sustituir el aguacate por 4 huevos duros cortados en gajos; obtendréis una ensalada que aportará 265 kcal. 2• En lugar de añadir el aguacate a la ensalada, batirlo con aceite, zumo de limón, sal y pimienta: tendremos una salsa para usar de condimento.

20'
preparación

25'
cocción

CREMA EN AMARILLO CON CALABAZA Y MAÍZ

ESTA SOPA TIENE LA VIRTUD DE SER MUY SABROSA PESE A APORTAR POCAS CALORÍAS. PODÉIS SERVIRLA VERTIÉNDOLA SOBRE TROZOS DE POLENTA ASADA.

ingredientes para 4 raciones
kcal por ración 172
- 300 G (10,58 OZ) DE PULPA DE CALABAZA
- 100 G (3,5 OZ) DE MAÍZ EN CONSERVA
- 2 CALABACINES
- 1 PIMIENTO ROJO
- 1 PATATA
- 1 CEBOLLA
- 60 G (2,11 OZ) DE JAMÓN DESGRASADO
- 1 CS DE ACEITE DE OLIVA VIRGEN EXTRA
- 1 L (33,8 FL OZ) DE CALDO VEGETAL
- SAL Y PIMIENTA

utensilios útiles
- BATIDORA

tipo de cocción
A LA SARTÉN
Y EN LA CAZUELA

CORTAR la calabaza y ponerla en una sartén con 3-4 cs de agua, sal y pimienta. Cocerla a fuego bajo durante 10 minutos, aproximadamente, removiendo a menudo y añadiendo más agua si el fondo de cocción se secara demasiado. Sacarla de la sartén sólo cuando esté bien tierna y batirla.

CORTAR los calabacines en rodajas y eliminar el pecíolo, extraer las semillas y los filamentos del pimiento y cortar la carne en daditos. Mondar y cortar en cubitos la patata, picar la cebolla y el jamón.

DORAR la cebolla y el jamón en una cazuela con el aceite, añadir la patata y, pasados unos minutos, los pimientos y los calabacines; dejar cocer unos instantes. Agregar el caldo hirviendo y el puré de calabaza y dejarlo cocer todo unos 10 minutos. Incorporar el maíz escurrido y proseguir la cocción 5 minutos más. Apagar el fuego y condimentar con aceite.

DISTRIBUIR la crema de calabaza con verduras en 4 platos hondos, espolvorear con pimienta negra en grano molida y servir enseguida.

POR QUÉ ES SALUDABLE

LA CALABAZA

La calabaza es rica en vitamina A, útil para el mantenimiento de la piel y para el crecimiento. Esta vitamina resiste el calor y soporta también prolongadas cocciones, aunque tengan lugar en ausencia de oxígeno. Otra característica muy importante de esta hortaliza es su elevado poder saciante unido al hecho de que aporta pocas calorías (18 kcal por cada 100 g -3,5 oz-). Por este motivo, es adecuada en dietas adelgazantes.

VINO ROSADO
SECO CON CUERPO

VARIANTES APETITOSAS 1• Probar a añadir, 1 minuto antes de finalizar la cocción, 2 yemas batidas y remover sin parar; sacar del fuego y servir enseguida. 2• Sustituir los calabacines por setas hechas a la sartén, agregándolas sólo al final.

20'
preparación

15'
cocción

LENGUADO
A LA NARANJA

UN SEGUNDO PLATO DELICADO, CON UN BUEN EQUILIBRIO TANTO EN LOS SABORES COMO DESDE EL PUNTO DE VISTA NUTRICIONAL GRACIAS A LAS PROPIEDADES DEL PESCADO Y DE LAS VERDURAS.

ingredientes para 4 raciones
kcal por ración 150
- 600 G (21,16 OZ) DE FILETES DE LENGUADO
- 1 NARANJA GRANDE
- 300 G (10,58 OZ) DE NABOS
- 300 G (10,58 OZ) DE PUERROS
- 400 G (14 OZ) DE ZANAHORIAS
- 1 LIMÓN
- 1 CS DE ALMIDÓN DE MAÍZ
- 1 RAMILLETE DE PEREJIL
- SAL Y PIMIENTA

MONDAR y lavar los nabos, los puerros y las zanahorias y cortar estas verduras en juliana. Cocerlas por separado en agua hirviendo ligeramente salada durante 4-6 minutos, escurriéndolas cuando estén aún *al dente*.

CORTAR los filetes de lenguado por la mitad longitudinalmente, enrollarlos tratando de no romperlos y fijarlos con un palillo de madera. Alinear los rollitos de pescado en una cazuela pequeña, cubrirlos de agua, añadir el zumo filtrado del limón, pimienta molida en abundancia y una pizca de sal. Llevar lentamente a ebullición y cocer durante 5 minutos, aproximadamente.

PONER el zumo filtrado de la naranja en una cazuela pequeña, desleír el almidón de maíz, añadir 1 dl (3,38 fl oz) del líquido de cocción del lenguado y cocer, removiendo, durante 2-3 minutos, hasta que la salsa se espese.

VERTER unas cs de salsa bien caliente sobre el fondo de 4 platos, disponer 4-5 rollitos de lenguado en cada uno, espolvorear con el perejil picado y acompañar con las verduras en juliana. Decorar con hojitas de perejil y servir enseguida.

utensilios útiles
- PALILLOS DE MADERA

tipo de cocción
EN LA CAZUELA

SABER HACER

MAHONESA
A LA NARANJA

Para una mahonesa casera: poner 1 yema en un cuenco y empezar a añadir un poco de aceite de oliva gota a gota. Remover con una cuchara de madera y, a medida que la mahonesa se espese, agregar más aceite (unos 2 dl -6,7 fl oz-). Cuando todo el aceite esté incorporado, añadir gota a gota el zumo filtrado de 1/2 naranja y una pizca de sal disuelta en éste. Si utilizáis zumo de limón o vinagre de vino blanco, obtendréis la receta original.

 VINO BLANCO SECO

! VARIANTES APETITOSAS 1• En lugar de los filetes de lenguado podéis utilizar filetes de solla. 2• O filetes de salmón cortados finamente. 3 • Guarnición alternativa: tomates *cherry* cortados por la mitad y salteados en la sartén con dados de patata hervida, aceite, sal y pimienta.

PAVO CON SALSA DE ZANAHORIAS

HE AQUÍ UNA RECETA SENCILLA, LIGERA Y ORIGINAL, QUE PROPONE LAS ZANAHORIAS NO SÓLO COMO GUARNICIÓN, SINO TAMBIÉN COMO CREMOSO CONDIMENTO.

20' preparación

40' cocción

**ingredientes para 4 raciones
kcal por ración 310**

- 600 G (21,16 OZ) DE FILETE DE PAVO
- 6 ZANAHORIAS
- 2 DIENTES DE AJO FRESCO
- 4 CS DE ACEITE DE OLIVA VIRGEN EXTRA
- 1 DL (3,38 FL OZ) DE VINO BLANCO SECO
- 2 TALLOS DE CEBOLLINO
- 2 RAMITAS DE TOMILLO
- SAL Y PIMIENTA

utensilios útiles

- PRENSA-AJOS
- BATIDORA
- MARTILLO PARA CARNE

tipo de cocción

A LA SARTÉN

PELAR las zanahorias, trocear 2 de ellas y cocerlas en agua ligeramente salada durante 20 minutos, aproximadamente. Cuando estén bien tiernas, escurrirlas y batirlas; pasar el puré a un bol y reservarlo.

CORTAR el filete de pavo en trozos de 1 cm (0,39 pulg.) de espesor y, después, en pequeños escalopines; aplanarlos ligeramente con el martillo de carne. Pelar el ajo, aplastarlo con el prensa-ajos y rehogarlo en una sartén grande con el aceite.

AÑADIR las tajaditas de pavo, cocinar a fuego medio durante 2-3 minutos por lado, bañar con el vino blanco y salpimentar. Tapar la sartén y dejar la carne 10 minutos, aproximadamente. Cortar en rodajitas las zanahorias restantes, agregarlas a la carne y proseguir la cocción 10 minutos más; rectificar de sal y apagar el fuego.

DISPONER el pavo con las zanahorias en un plato de presentación. Verter el puré de zanahorias en el fondo de cocción de la carne, calentar la salsa y verter 1 cs en cada tajada de pavo. Espolvorear con cebollino y el tomillo cortados, y decorar con rodajitas de limón.

LA IDEA RÁPIDA

QUICHE DE ZANAHORIAS Y NARANJA

Para 6-8 raciones: hervir 800 g (28,2 oz) de zanahorias y batirlas con 2 dl (6,7 fl oz) de nata fresca, 1 huevo, el zumo filtrado de 1 naranja, sal y pimienta. Estirar un disco de hojaldre fresco y disponerlo en una tartera de 24 cm (9,44 pulg.) de diámetro recubierta con papel de horno. Agujerear la superficie y verter la crema de zanahorias. Cocer en el horno a 180 °C (356 °F) durante 30 minutos; dejar enfriar antes de servir.

VINO BLANCO SUAVE ARMÓNICO

VARIANTES APETITOSAS 1• Para hacer un plato más refinado, sustituir el pavo por trozos de filete de ternera, cocinándolas junto a las zanahorias durante sólo 8-10 minutos. 2• En lugar de las zanahorias, usar patatas, cortadas también en rodajas finas, en parte hervidas y en parte batidas.

25′ preparación
+ 30′ de reposo

35′ cocción

TARTA CON CREMA DE LIMA

LA MASA *SABLÉ* CON LA QUE SE PREPARA ESTA TARTA ES ESPECIALMENTE FRIABLE, PERFECTA TAMBIÉN PARA PREPARAR DELICIOSAS GALLETAS.

ingredientes para 8 raciones
kcal por ración 307

- 4 LIMAS DE CULTIVO ECOLÓGICO
- 3 YEMAS
- 100 G (3.5 OZ) DE AZÚCAR
- 1 CS DE MAICENA
- 2 DL (6.7 FL OZ) DE LECHE

para la masa *sablé*

- 50 G (1.76 OZ) DE ALMENDRAS PELADAS
- 100 G (3.5 OZ) DE AZÚCAR
- 210 G (7.4 OZ) DE HARINA BLANCA
- 110 G (3.88 OZ) DE MANTEQUILLA
- 3 YEMAS
- SAL

utensilios útiles

- TARTERA DE 24 CM (9.44 PULG.) DE DIÁMETRO

tipo de cocción
EN LA CAZUELA
Y EN EL HORNO

PREPARAR la masa *sablé* siguiendo el procedimiento indicado en la columna contigua. Mientras reposa en la nevera durante 30 minutos, aproximadamente, empezar a cocinar la crema de lima.

BATIR las yemas con el azúcar en una cazuela pequeña hasta que estén blancas y espumosas; a continuación, incorporar la maicena, diluir con el zumo filtrado de 3 limas y la leche, vertiéndolos lentamente y removiendo. Poner el fuego muy bajo y no dejar de remover. Cuando empiece a hervir, cocer durante 4-5 minutos hasta que la crema se espese.

ESTIRAR la masa y recubrir la tartera untada con mantequilla y enharinada. Agujerear la superficie, taparla con papel de horno y distribuir por encima algunas legumbres secas. Introducir en el horno, precalentado a 180 °C (356 °F), durante 20 minutos, aproximadamente. Eliminar el papel y las legumbres y cocer 10 minutos más. Dejar enfriar y desmoldar.

RELLENAR la base con la crema de lima, decorar con la fruta restante cortada en rodajas finas y servir.

LA EXPERIENCIA ENSEÑA

LA MASA *SABLÉ*

Preparar la masa sablé con los ingredientes indicados en la receta: batir las almendras junto con el azúcar y mezclar el compuesto con la harina (reservar una parte para el molde) y una pizquita de sal. Agregar la mantequilla fría troceada (guardar un poco para untar la tartera) y trabajarlo todo con los dedos hasta obtener una masa granulosa. Hacer un "volcán", poner en el centro las yemas y amasar hasta lograr una masa lisa. Hacer una bola, envolverla en papel film de cocina y dejarla en la nevera durante 30 minutos.

VINO BLANCO
DULCE Y AFRUTADO

VARIANTES APETITOSAS 1• Utilizar la masa *sablé* para preparar galletitas de formas distintas y, cuando estén frías, espolvorearlas con un poco de canela en polvo y cacao. **2•** En lugar de la crema de lima rellenar la tarta con nata montada y melocotones en rodajas o daditos.

20'
preparación

 20'
cocción

TARTITAS DE ZANAHORIAS Y CHOCOLATE

PODÉIS PREPARAR ESTAS DELICIAS PARA LA MERIENDA, CON O SIN LA CREMA DE CHOCOLATE, Y SERVIRLAS CON UN ZUMO DE NARANJA FRESCO.

ingredientes para 8-10 raciones
kcal por ración 396-317

- 2 ZANAHORIAS HERVIDAS
- 100 G (3.5 OZ) DE CREMA DE CHOCOLATE Y AVELLANAS
- 150 G (5.29 OZ) DE MANTEQUILLA
- 150 G (5.29 OZ) DE AZÚCAR
- 3 HUEVOS
- 150 G (5.29 OZ) DE HARINA BLANCA
- 1 ENVASE DE LEVADURA PARA DULCES
- 2 CS DE AZÚCAR GLAS
- SAL

utensilios útiles

- BATIDORA
- 8-10 MOLDES PEQUEÑOS
- REJILLA PARA DULCES

tipo de cocción
EN EL HORNO

BATIR la mantequilla con el azúcar en la batidora hasta obtener un compuesto claro. Incorporar los huevos de uno en uno con el aparato funcionando y, a continuación, las zanahorias troceadas hasta obtener una crema lisa y homogénea.

AGREGAR poco a poco la harina previamente mezclada con la levadura y una pizquita de sal.

REMOJAR, estrujar y secar el papel de horno y recubrir con él los moldes. Verter el compuesto de zanahorias e introducir en el horno a 180 °C (356 °F) durante 20 minutos, aproximadamente. Dejar enfriar y, a continuación, disponer las tartitas en la rejilla.

ESPOLVOREAR las tartitas con el azúcar glas cuando estén completamente frías; disponer en el centro de cada una de ellas 1 cs de crema de chocolate y servir.

SABER HACER

CAFÉ A LA FRANCESA

Servir las tartitas de zanahoria con el té o con un zumo de cítricos o con este delicioso café aromatizado a la naranja: preparar un café largo, azucararlo y agregar en cada taza 5-6 cs de Grand Marnier u otro licor de naranja. Añadir poquísima leche con mucha espuma y servir enseguida, decorando con una rodajita de naranja confitada.

 VINO BLANCO ATERCIOPELADO

! VARIANTES APETITOSAS 1• Con las mismas dosis indicadas arriba, podéis preparar una tarta de zanahorias, en un molde de 20 cm (7,87 pulg.) de diámetro, aproximadamente. 2• Para elaborar un dulce aún más sabroso, agregar a la masa 70 g (2,4 oz) de almendras peladas y picadas muy finamente.

MOUSSE DE CAQUIS A LA MENTA

RICOS EN AZÚCAR, VITAMINA A Y C, CALCIO, FÓSFORO Y MANGANESO: LOS CAQUIS, CON SUS PROPIEDADES, HACEN QUE ESTE POSTRE SEA REALMENTE ESPECIAL.

20' preparación + 4 h para enfriarse

0' cocción

ingredientes para 4 raciones
kcal por ración 260
- 4 CAQUIS
- 1 RAMILLETE DE MENTA FRESCA
- 2 CS DE AZÚCAR
- 1 NARANJA
- 1 LIMÓN
- 10 G (0.35 OZ) DE GELATINA EN HOJAS
- 1.5 DL (5 FL OZ) DE NATA FRESCA

utensilios útile
- BATIDORA
- VARILLAS ELÉCTRICAS

tipo de cocción
NINGUNA

PELAR los caquis, trocear la pulpa y eliminar los eventuales huesos. Batir la mitad de la pulpa con el azúcar, el zumo de 1/2 naranja y el de 1/2 limón; a continuación pasar la crema obtenida a un cuenco.

PONER durante 10 minutos en remojo en agua fría las hojas de gelatina. Estrujarlas, disolverlas en 2 cs de agua caliente y mezclarlas con el batido de caquis. Montar la nata con las varillas eléctricas e incorporarla al compuesto removiendo delicadamente con un tenedor para que no se desmonte. Dejar la *mousse* en la nevera durante 4 horas, por lo menos.

BATIR los otros caquis con el zumo restante de los dos cítricos, distribuir el batido en 4 copas de cristal, agregar la *mousse* de caquis y servir decorando con hojitas de menta.

LA EXPERIENCIA ENSEÑA

HELADO DE FRUTA: RECETA BÁSICA

Con los caquis o con otra fruta, podéis preparar muchos helados siguiendo este sencillo procedimiento: batir 400 g (14 oz) de pulpa de fruta con el azúcar (la cantidad varía entre un mínimo de 50 g -1,76 oz- para frutas muy dulces como los caquis y un máximo de 180 g (6,34 oz) para frutas más ásperas como los melocotones o las moras). Agregar 1/4 l (8,5 fl oz) de nata, unas cs de zumo de limón y batir de nuevo. Pasar el compuesto a una heladera y dejar que el helado se solidifique: estará listo en 25-30 minutos. Conservarlo en el congelador y dejarlo a temperatura ambiente unos minutos antes de servirlo.

VINO BLANCO DULCE

VARIANTES APETITOSAS 1• Si os apetece, podéis batir unas hojitas de menta fresca junto con la pulpa de caqui. 2• Siguiendo el mismo procedimiento, puede prepararse una *mousse* de plátano.
3 • O de melocotón.

ENTRANTES
- MEDALLONES DE UVA
  Y QUESO DE OVEJA

ENSALADAS
- *RATATOUILLE*
  CON BERENJENAS
- ACHICORIA ROJA
  CON VINAGRETA

PLATOS PRINCIPALES
- SOPA DE *CANEDERLI* DE BERENJENAS
- *RISOTTO* CREMOSO CON ACHICORIA
- *RAVIOLIS* DE REMOLACHA
- REDONDO CON CIRUELAS

RECETAS EN AZUL

25'
preparación
+ 10' de reposo

20'
cocción

MEDALLONES DE UVA Y QUESO DE OVEJA

LA COMBINACIÓN DE LA FRUTA CON EL QUESO SIEMPRE OFRECE SORPRESAS INTERESANTES EN COCINA, COMO ESTAS ESPECIALES Y SABROSAS TORTILLITAS.

ingredientes para 4-6 raciones
kcal por ración 376-251

- 500 G (17,6 OZ) DE UVA NEGRA
- 50 G (1,75 OZ) DE QUESO DE OVEJA ROMANO RALLADO
- 4 CS DE ACEITE DE OLIVA VIRGEN EXTRA
- 1 MANOJO DE HIERBAS AROMÁTICAS MIXTAS (SALVIA, ROMERO, TOMILLO, MEJORANA, ALBAHACA)
- 3 REBANADAS DE PAN DE MOLDE
- 5 HUEVOS
- 3 CS DE PAN RALLADO
- SAL Y PIMIENTA

utensilios útiles

- BATIDORA
- CUCHILLO MEDIALUNA
- PAPEL ABSORBENTE DE COCINA

tipo de cocción
A LA SARTÉN

LAVAR la uva, pelar los granos y eliminar las semillas; ponerla en una sartén con 2 cs de aceite, salarla y cocinarla a fuego vivo durante 10 minutos. Finalmente, añadir 1 cs colmada de hierbas aromáticas lavadas y picadas con la medialuna y dejar a fuego vivo 2 minutos más, aproximadamente.

PASAR el pan de molde por la batidora para desmenuzarlo finamente. Batir los huevos en un bol con una pizca de sal y pimienta molida. Añadir el pan rallado, el queso de oveja y la uva, remover bien y dejar reposar el compuesto 10 minutos.

CALENTAR el aceite restante en una sartén pequeña antiadherente y verter 1 cs abundante de compuesto; aplastarlo con el dorso de la cuchara para obtener una tortilla en forma de medallón y cocerlo 2 minutos por lado. Sacar del fuego, ponerlo en papel absorbente y proseguir de la misma manera hasta agotar el compuesto.

SERVIR los medallones bien calientes, decorando con tomates secos picados mezclados con unas hierbas aromáticas.

SABER HACER

FLANES DE REQUESÓN A LA UVA

Para 4 raciones: pelar y eliminar las semillas de un racimo de uva blanca o negra, pasarla a una sartén con un chorrito de aceite, sal, pimienta y una pizca de canela; cocer durante 10 minutos y aplastarlo todo con un tenedor. Mezclar la uva con 300 g (10,58 oz) de requesón y 30 g (1 oz) de parmesano rallado. Disponer el compuesto en moldes recubiertos con papel film de cocina y dejar en la nevera 2 horas, por lo menos. Desmoldar y decorar con cebollino, canela y granos de uva.

VINO BLANCO SECO

VARIANTES APETITOSAS 1• Estos medallones pueden prepararse también con verduras en lugar de la uva: por ejemplo, con 500 g (17,6 oz) de berenjena en daditos cocida en una sartén con aceite, ajo y hierbas aromáticas. **2•** O con calabacines, preparados de la misma manera.

50' preparación

45' cocción

ingredientes para 4 raciones
kcal por ración 245

- 700 G (24,7 OZ) DE BERENJENAS
- 300 G (10,58 OZ) DE CALABACINES
- 300 G (10,58 OZ) DE CEBOLLAS
- 1 PIMIENTO
- 8-9 CS DE ACEITE DE OLIVA VIRGEN EXTRA
- 3 DIENTES DE AJO
- 1 BUEN MANOJO DE HIERBAS AROMÁTICAS MIXTAS (ALBAHACA, TOMILLO, PEREJIL)
- 400 G (14 OZ) DE PULPA DE TOMATE EN CUBITOS
- SAL Y PIMIENTA

utensilios útiles
- CUCHILLO AFILADO

tipo de cocción
A LA SARTÉN

RATATOUILLE CON BERENJENAS

ES UNA RECETA SENCILLA SÓLO EN APARIENCIA: DE HECHO, UNA BUENA *RATATOUILLE* INCLUYE VARIOS PUNTOS QUE DEBEN RESPETARSE. SERVIRLA CON PESCADO ASADO.

LAVAR y secar todas las verduras y dejarlas separadas. Despuntar las berenjenas y los calabacines, cortar las primeras en tiras espesas y después en cubitos con un cuchillo bien afilado y, los segundos, en rodajitas. Mondar las cebollas, dividirlas en 6-8 gajos y cortar cada una de ellas por la mitad. Eliminar el pecíolo, las semillas y los filamentos del pimiento y cortarlo.

CALENTAR 3 cs de aceite en una sartén grande y añadir el ajo picado con las hierbas aromáticas, reservando 1 ramillete de albahaca. Agregar la pulpa de tomate y dejar cocer durante 30 minutos removiendo de vez en cuando.

MIENTRAS TANTO, cocer el resto de las verduras: calentar en otra sartén 3 cs de aceite y dorar las berenjenas durante 10 minutos a fuego vivo y removiendo a menudo. Repetir el mismo proceso con las cebollas, los pimientos y los calabacines.

A MEDIDA que estén cocidas, pasar las verduras a un cuenco escurriéndolas bien del aceite. A continuación, verterlas en la sartén con el tomate removiendo bien, calentarlo todo 5 minutos y servir, decorando con las hojitas de albahaca fresca reservadas.

LA IDEA RÁPIDA

ENSALADA DE REMOLACHA

Para 4-5 raciones: pelar 2 remolachas cocidas al horno, reducirlas a daditos y pasarlas a un cuenco. Pelar 1 remolacha cruda, cortarla en tiritas y añadirlas a los daditos. Emulsionar en un bol 4-5 cs de aceite de oliva con 1 ct de mostaza de Dijon, 1 ct de vinagre de vino blanco, 1 diente de ajo picado, sal y pimienta, y condimentar las remolachas con la salsa.

VINO ROSADO SECO CON CUERPO

! VARIANTES APETITOSAS **1•** Si no os gusta el sabor amargo de las berenjenas, pelarlas antes de la cocción y tendréis, igualmente, una deliciosa *ratatouille*. **2•** Para hacer unas verduras aún más ricas, agregar a los ingredientes 200 g (7 oz) de judías verdes.

10′ preparación + 12 h de reposo

10′ cocción

ingredientes para 4 raciones
kcal por ración 165

- 4 COGOLLOS DE ACHICORIA ROJA DE TREVISO
- 6 CS DE ACEITE DE OLIVA VIRGEN EXTRA
- 1 CS DE VINAGRE DE VINO BLANCO
- 2-3 DIENTES DE AJO
- SAL Y PIMIENTA

utensilios útiles

- CUCHILLO TRINCHANTE AFILADO

tipo de cocción
A LA PLANCHA

ACHICORIA ROJA CON VINAGRETA

UNA GUARNICIÓN SENCILLA Y SABROSA, IDEAL PARA ACOMPAÑAR PLATOS DE CARNE, COMO LAS SALCHICHAS A LA PARRILLA O EL REDONDO DE CERDO.

PREPARAR, el día antes, la vinagreta al ajo: poner en un tarro de cristal el aceite, agregar el vinagre, una pizca de sal y pimienta molida y emulsionarlo todo removiendo bien con un tenedor.

LAMINAR el ajo no muy finamente y añadirlo a la vinagreta, cerrar el tarro y dejar 12 horas a temperatura ambiente.

LAVAR la achicoria roja y secarla delicadamente con un paño de lino; a continuación, cortar cada cogollo por la mitad. Calentar bien la plancha y, cuando esté candente, disponer encima la ensalada y cocer durante 10 minutos, aproximadamente, girando los cogollos a menudo.

PASAR la ensalada a un plato. Eliminar el ajo de la vinagreta, cerrar el tarro y agitarlo como si fuera una coctelera; regar la achicoria con esta salsa y servir.

LA ELECCIÓN ADECUADA

LAS ACHICORIAS ROJAS

Esta planta se cultiva fundamentalmente en Italia, sobre todo en la región del Véneto: la variedad más conocida es la roja de Treviso, de forma alargada y muy amarga; un sabor más delicado tiene su pariente más próximo, llamada "Spadone", reconocible por sus hojas en forma de garfios (en la foto). Ambas son ideales para la cocción a la plancha. Para las ensaladas, son más indicadas las variedades de forma redonda: la roja de Verona, la Variegata de Chioggia y la Variegata de Castelfranco.

 VINO TINTO SECO

VARIANTES APETITOSAS 1• Tras eliminar el ajo, añadir a la vinagreta 2-3 puntas de romero fresco picado muy finamente; agitar y servir. 2• Otra salsa: emulsionar aceite, sal, pimienta, un poco de vinagre balsámico y 2 cs de parmesano rallado.

60' preparación

 50' cocción

SOPA DE *CANEDERLI* DE BERENJENAS

HE AQUÍ UNA DELICADA VERSIÓN VEGETARIANA DE LOS *CANEDERLI*. POR EL CONTRARIO, LOS CLÁSICOS DE LA TRADICIÓN TRENTINA SON A BASE DE *SPECK* O PANCETA.

ingredientes para 4 raciones
kcal por ración 448
- 2 BERENJENAS GRANDES
- 300 G (10,58 OZ) DE PAN BLANCO DURO
- 2 DL (6,7 FL OZ) DE LECHE
- 30 G (1 OZ) DE MANTEQUILLA
- 1 DIENTE DE AJO
- 1 CEBOLLA PEQUEÑA
- 1 ZANAHORIA HERVIDA
- 1 TOMATE PERA PELADO
- NUEZ MOSCADA RALLADA
- 2 HUEVOS
- 2 CS DE PAN RALLADO
- 1 CS DE HARINA BLANCA
- 1 L (33,8 FL OZ) DE CALDO VEGETAL
- 4-5 TALLOS DE CEBOLLINO
- SAL Y PIMIENTA

utensilios útiles
- PAPEL DE HORNO

tipo de cocción
A LA SARTÉN
Y EN LA CAZUELA

REDUCIR el pan a daditos, ponerlos en un cuenco y verter encima la leche tibia. Mientras el pan se reblandece, cortar las berenjenas por la mitad, ponerlas con el dorso apoyado en una fuente recubierta con papel de horno e introducirlas en el horno a 180 ºC (356 ºF) durante 20-30 minutos, hasta que la pulpa de la berenjena esté muy tierna, casi cremosa.

EXTRAER la pulpa de las berenjenas, ponerla en un plato hondo y aplastarla con un tenedor para obtener un puré; eliminar la piel. Fundir en una sartén la mantequilla, añadir el ajo y la cebolla picados y, cuando empiecen a estar transparentes, agregar el puré de berenjenas, el tomate en daditos, sal, pimienta y nuez moscada. Dejar 5 minutos a fuego bajo.

MEZCLAR los huevos y las berenjenas con el pan remojado en la leche. Incorporar el pan rallado y la harina. Hacer varias bolitas del tamaño de una nuez y hervirlas lentamente en el caldo durante 15 minutos.

SERVIR la sopa de *canederli* de berenjenas bien caliente en los platos; sólo en el último momento espolvorear con el cebollino cortado finamente.

LA EXPERIENCIA ENSEÑA

SOPA DE ALBÓNDIGAS

También las albóndigas de carne se prestan para un primer plato en forma de sopa. Para 4 raciones: trabajar 400 g (14 oz) de carne picada de ternera con 1 patata hervida bien aplastada, 1 huevo, 70 g (2,4 oz) de parmesano rallado, un poco de perejil picado y sal. Hacer varias bolas y cocerlas en 1 l (33,8 fl oz) de caldo de carne durante 10 minutos, añadiendo 4-5 hojas de lechuga cortada en juliana.

VINO BLANCO
SECO ARMÓNICO

VARIANTES APETITOSAS 1• Para los *canederli* clásicos: sustituir las berenjenas por 200 g (7 oz) de *speck* picado. También se sirven secos con mantequilla fundida y queso rallado. 2• Otra versión vegetariana: en lugar de las berenjenas, utilizar 800 g (28,2 oz) de espinacas hervidas y picadas.

25'
preparación

20'
cocción

RISOTTO CREMOSO CON ACHICORIA

OS PROPONEMOS UN PRIMER PLATO CON VERDURAS Y MUY SABROSO PERO QUE HACE UN APORTE CALÓRICO BASTANTE COMEDIDO.

ingredientes para 4 raciones
kcal por ración 374
- 250 G (8.8 OZ) DE ARROZ ARBORIO
- 2 COGOLLOS DE ACHICORIA ROJA
- 1 CEBOLLA PEQUEÑA
- 20 G (0.7 OZ) DE MANTEQUILLA
- 1 L (33.8 FL OZ) DE CALDO VEGETAL
- 1 DL (3.38 FL OZ) DE VINO BLANCO SECO
- 100 G (3.5 OZ) DE QUESO TALEGGIO
- SAL Y PIMIENTA

utensilios útiles
- CUCHILLO MEDIALUNA

tipo de cocción
EN LA CAZUELA

PELAR la cebolla y picarla finamente con la medialuna; limpiar la achicoria, eliminando las raíces, picar las hojas irregularmente, lavarlas y secarlas. Fundir la mantequilla en una cazuela, añadir la cebolla, un cacito de caldo y guisar hasta que la cebolla esté rehogada.

AGREGAR el arroz, tostarlo en el condimento durante 1/2 minuto, bañar con el vino blanco y dejar que este se evapore. Verter un cazo de caldo hirviendo y, cuando haya sido absorbido, verter otro: proceder así durante 10 minutos. Remover de vez en cuando el *risotto* con una cuchara de madera.

AÑADIR la achicoria picada y proseguir la cocción durante 8 minutos más, por lo menos, incorporando más caldo, hasta que el arroz esté cocido muy al dente y ligeramente caldoso. Apagar el fuego, incorporar el queso taleggio troceado y sin la corteza, rectificar de sal y añadir pimienta molida.

VERTER medio cazo de caldo más, tapar y dejar reposar el *risotto* 1 minuto. Remover nuevamente y servir decorando con hojas de achicoria fresca.

LA IDEA RÁPIDA

SOPA DE REMOLACHA

Para 4 raciones: dorar en una cazuela con 1 cs de aceite 80 g (2,82 oz) de speck picado. Agregar un puerro en rodajitas y 4-5 hojas de col blanca troceada y hervida durante 10 minutos. Verter 150 g (5,29 oz) de arroz y dejar cocer 10 minutos más. Añadir 2 remolachas rojas cocidas al horno peladas y cortadas en dados y terminar la cocción dejando 5 minutos más al fuego.

VINO ROSADO SECO

! VARIANTES APETITOSAS **1•** Mientras se cuece el *risotto*, dorar en una sartén aparte 3 salchichas desmenuzadas con su grasa hasta que estén crujientes; distribuirlas sobre el arroz y servir. **2•** O sofreír en un poco de mantequilla 100 g (3,5 oz) de jamón cocido en daditos.

60' preparación **15'** cocción

ingredientes para 4 raciones
kcal por ración 548

- 1 REMOLACHA ROJA COCIDA AL HORNO
- 400 G (14 OZ) DE JUDÍAS COCIDAS
- 1 HUEVO
- 1 CS DE HARINA BLANCA
- 4 BROTES DE ROMERO
- 1 CS DE ACEITE DE OLIVA VIRGEN EXTRA
- 100 G (3,5 OZ) DE VERDURAS PARA SOFRITO CONGELADAS
- 250 G (8,8 OZ) DE SALCHICHA
- 1 CS DE PIMIENTA VERDE EN CONSERVA
- 1 RAMILLETE DE PEREJIL
- SAL

utensilios útiles

- BATIDORA
- MOLDE PARA CORTAR PASTA DE 7-8 CM (2.76-3.15 PULG.) DE DIÁMETRO

tipo de cocción
A LA SARTÉN
Y EN LA CAZUELA

RAVIOLIS
DE REMOLACHA

EL SABOR DULCE DE ESTA HORTALIZA Y EL SABOR INTENSO DEL CONDIMENTO CON LA SALCHICHA OFRECEN UN INSÓLITO Y SABROSO PRIMER PLATO.

PREPARAR la pasta siguiendo el procedimiento explicado en la columna inferior. A continuación, trabajar el relleno: poner en la batidora las judías con la remolacha pelada y cortada en daditos. Encender el aparato añadiendo el huevo, la harina, una pizca de sal y otra de pimienta y el romero previamente picado muy finamente.

ESTIRAR un pedacito de pasta hasta obtener una hoja fina, recortar con el molde varios círculos, poner en el centro de cada uno 1 ct de relleno de remolacha y doblarlo enseguida, cuando la pasta esté todavía húmeda y sea fácil de sellar. Proceder así hasta agotar los ingredientes, obteniendo *raviolis* en forma de medialunas.

DORAR en una sartén con el aceite las verduras para sofrito, añadir la salchicha pelada y desmenuzada, la pimienta verde ligeramente majada y el perejil. Cocer a fuego vivo durante 4-5 minutos. Hervir los *raviolis* en abundante agua salada durante 10 minutos, escurrirlos al dente y pasarlos a la sartén con el condimento de salchicha.

DEJAR que absorba el sabor unos instantes, apagar el fuego, remover con cuidado y servir.

LA EXPERIENCIA ENSEÑA

PASTA INTEGRAL

Preparar la pasta: mezclar 150 g (5,29 oz) de harina blanca con 50 g (1,76 oz) de harina integral y una pizca de sal, formar un "volcán" y descascarar 2 huevos en su interior. Trabajarlo todo hasta obtener una masa lisa; si fuera necesario, agregar unas gotas de agua. Formar una bola, envolverla en papel film de cocina y dejarla en la nevera hasta el momento de utilizarla. Cuando el relleno esté listo, estirar la pasta y proceder a trabajar los raviolis.

VINO TINTO SECO CON CUERPO

! VARIANTES APETITOSAS **1•** En el relleno de estos *raviolis* podéis utilizar, en lugar de las judías, la misma cantidad de patatas hervidas. **2•** Otro condimento: calentar 2 dl (6,7 fl oz) de nata con nuez moscada, sal, pimienta y salvia cortada, incorporar los *raviolis* y espolvorear con virutas de parmesano.

20'
preparación
+ 30' de reposo

50'
cocción

REDONDO CON CIRUELAS

UN SEGUNDO PLATO ESPECIALMENTE ADECUADO EN INVIERNO, CON CIRUELAS Y ALBARICOQUES SECOS COMO INUSUAL PROPUESTA DE GUARNICIÓN.

ingredientes para 4 raciones
kcal por ración 440
- 800 G (28,2 FL OZ) DE LOMO DE PAVO
- 8 CIRUELAS SECAS DESHUESADAS
- 8 ALBARICOQUES SECOS
- 0,8 DL (2,7 FL OZ) DE COÑAC
- 80 G (2,82 OZ) DE PANCETA AHUMADA EN LONCHAS
- 20 G (0,7 OZ) DE MANTEQUILLA
- 2 DL (6,7 FL OZ) DE CALDO DE POLLO
- SAL Y PIMIENTA

utensilios útiles
- PAPEL DE HORNO
- HILO DE COCINA
- PAPEL DE ALUMINIO

tipo de cocción
EN EL HORNO

PONER la fruta seca en un cuenco, agregar el coñac y dejarla macerar durante 30 minutos hasta que se reblandezca. Alinear las lonchas de panceta en una hoja de papel de horno superponiéndolas ligeramente.

SALPIMENTAR toda la superficie del lomo de pavo. Disponer la carne en el centro de la panceta y envolverla con ésta. Fijarlo todo con hilo de cocina.

FUNDIR la mantequilla en una fuente, añadir la carne preparada e introducir en el horno, precalentado a 200 ºC (392 ºF), durante 20 minutos, aproximadamente. Agregar la fruta seca con el coñac de la maceración, verter el caldo hirviendo y proseguir la cocción durante 30 minutos más, bajando la temperatura a 180 ºC (356 ºF).

EXTRAER el pavo del fondo de cocción, envolverlo en una hoja de papel de aluminio y dejarlo reposar 5 minutos para que sea más fácil de cortar. Sacar el papel y el hilo, y servir el redondo en rodajas con la fruta y su salsa.

LA IDEA RÁPIDA

ESCALOPES DE POLLO CON CIRUELAS

Para 4 raciones: enharinar 600 g (21,16 oz) de filetes de pechuga de pollo y dorarlos en una sartén con 20 g (0,7 oz) de mantequilla y 2 cs de aceite de oliva virgen extra. Cuando estén dorados por ambos lados, bañar con 2 dl (6,7 fl oz) de vino blanco seco, salpimentar y dejar cocer durante 20 minutos, aproximadamente, removiendo de vez en cuando. Dorar en otra sartén, a fuego alto y unos minutos, 400 g (14 oz) de ciruelas cortadas en gajitos con 10 g (0,35 oz) de mantequilla fundida. Añadirlas al pollo al finalizar la cocción, remover y servir enseguida.

VINO ROSADO
SECO JOVEN
AFRUTADO

VARIANTES APETITOSAS 1• Otra carne que combina bien con el sabor dulce de la fruta seca es el lomo de cerdo, que podéis utilizar en lugar del pavo. 2• Es delicioso el redondo de pavo con peras almibaradas, usadas en sustitución de la fruta seca reblandecida.

20′
preparación

25′
cocción

TARTA DE ARÁNDANOS

ES UNA TARTA DELICIOSA, QUE PUEDE COMERSE SOLA,
ACOMPAÑADA CON UNA BOLITA DE HELADO DE VAINILLA
O CON NATA MONTADA AZUCARADA

ingredientes para 6-8 raciones
kcal por ración 327-245

- 450 G (15,87 OZ) DE ARÁNDANOS
- 80 G (2,82 OZ) DE AZÚCAR
- 3 BIZCOCHOS SECOS
- 2 CS DE AZÚCAR GLAS

para la masa

- 150 G (5,29 OZ) DE HARINA BLANCA
- 50 G (1,76 OZ) DE AZÚCAR
- 1/2 LIMÓN DE CULTIVO ECOLÓGICO
- 80 G (2,82 OZ) DE MANTEQUILLA
- 2 YEMAS
- SAL

utensilios útiles

- TARTERA DE 24 CM (9,44 PULG.) DE DIÁMETRO
- PAPEL DE HORNO

tipo de cocción
EN EL HORNO

PREPARAR LA MASA: disponer la harina en "volcán" sobre la superficie de trabajo con una pizca de sal, el azúcar y la piel rallada del limón. Poner en el centro la mantequilla troceada e incorporarla a la harina con una espátula para no calentarla. Agregar las yemas, amasar con las manos y formar un panecillo.

ENJUAGAR rápidamente los arándanos, escurrirlos, ponerlos en un cuenco y espolvorearlos con el azúcar. Estirar la masa haciendo un disco de 3-4 mm (0,12-0,16 pulg.) de espesor, recubrir la tartera con papel de horno y agujerear con un tenedor la superficie de la masa.

DESMENUZAR finamente los bizcochos, distribuirlos uniformemente sobre la masa y cubrirlos con los arándanos azucarados.

INTRODUCIR la tarta en la parte baja del horno, precalentado a 200 ºC (392 ºF), durante 10 minutos y en la parte central durante 15 minutos. Extraerla del horno, dejarla enfriar, espolvorearla con azúcar glas y servirla.

POR QUÉ ES SALUDABLE

ZUMO DE MORAS Y ARÁNDANOS

Para 1 ración: batir 100 g (3,5 oz) de arándanos con 50 g (1,76 oz) de moras, 1/2 manzana pelada y troceada, 1 cs de azúcar y 1-2 cs de zumo de limón; reservar enteras algunas frutas para decorar. Esta bebida es un concentrado de vitamina C y A y contiene los pigmentos llamados antocianinas, que aportan el típico color violeta a ambas frutas.

VINO GRANATE
CLARO DULCE

!

VARIANTES APETITOSAS **1•** Podéis sustituir los arándanos por frutas del bosque variadas. **2 •** La versión con grosella roja es muy buena; en este caso, aumentar a 100 g (3,5 oz) el azúcar que debe mezclarse con las frutas, ya que estas tienden a ser más bien ásperas.

20'
preparación

 40'
cocción

PASTITAS DE VAINILLA CON FRAMBUESAS

ESTAS PEQUEÑAS Y DELICIOSAS TARTITAS PUEDEN PREPARARSE CON LAS FRUTAS QUE SE PREFIERAN: SON BUENAS CON FRAMBUESAS, PERO TAMBIÉN CON ARÁNDANOS Y GROSELLAS.

ingredientes para 6 raciones
kcal por ración 205
- 200 G (7 OZ) DE FRAMBUESAS
- 1/2 L (16,9 FL OZ) DE LECHE
- 1 VAINA DE VAINILLA
- 150 G (5,29 OZ) DE ARROZ DE COCCIÓN RÁPIDA
- 50 G (1,76 OZ) DE AZÚCAR
- 2 HUEVOS
- 1 CS DE AZÚCAR GLAS
- SAL

utensilios útiles
- 12 MOLDES PEQUEÑOS PARA PUDÍN
- 12 PIROTINES DE PAPEL

tipo de cocción
EN EL HORNO

VERTER la leche en una cazuela, añadir la vaina de vainilla cortada longitudinalmente con la punta de un cuchillo y llevar a ebullición. Agregar el arroz, cocerlo a fuego medio y, a continuación, remover durante 10 minutos o hasta que la leche haya sido casi totalmente absorbida.

SACAR el arroz del fuego y dejarlo enfriar. Eliminar la vainilla y agregar al arroz una pizca de sal, el azúcar y los huevos ligeramente batidos; remover con una cuchara de madera hasta obtener un compuesto lo más homogéneo posible.

RECUBRIR los moldes con los pirotines de papel, rellenarlos con el compuesto preparado e introducir 3-4 frambuesas en cada uno de ellos.

COCER los pastelitos en el horno, precalentado a 180 ºC (356 ºF), durante 25 minutos, aproximadamente; sacarlos del horno y dejarlos enfriar completamente. Cuando estén fríos, espolvorearlos con azúcar glas y servirlos con frambuesas frescas servidas aparte.

LA IDEA RÁPIDA

YOGUR PARA BEBER

Para 1 ración: batir 125 g (4,4 oz) de yogur natural entero con 50 g (1,76 oz) de moras y 1 cs de miel de acacia. Obtendréis un vaso colmado de yogur de moras frescas para beber. De la misma manera, podéis preparar otros muchos batidos a base de yogur, utilizando fruta fresca para mantener inalterados los niveles de vitamina contenida en ella.

 VINO BLANCO AFRUTADO

VARIANTES APETITOSAS 1• Con el mismo compuesto a base de arroz, podéis cocinar tartitas con arándanos o grosellas. **2•** Esta masa es aún más sabrosa agregándole 50 g (1,76 oz) de almendras amargas secas reducidas a polvo en un mortero o con la batidora.

40' preparación **50'** cocción

TARTA DE PAN CON CIRUELAS

HE AQUÍ UN DULCE CAMPESTRE, FÁCIL Y RÁPIDO DE PREPARAR. ES REALMENTE DELICIOSO Y, CON EL AÑADIDO DE LA FRUTA, AÚN MÁS SUAVE.

ingredientes para 8-10 raciones
kcal por ración 465-372
- 300 G (10,58 OZ) DE PAN DE PAYÉS
- 700 G (24,7 OZ) DE CIRUELAS SECAS
- 250 G (8,8 OZ) DE AZÚCAR
- 2 CS DE *BRANDY*
- 1 DL (3,38 FL OZ) DE VINO BLANCO DULCE
- 1 CT DE CANELA EN POLVO
- 190 G (6,7 OZ) DE MANTEQUILLA
- 6 YEMAS Y 3 CLARAS
- 10 G (0,35 OZ) DE HARINA BLANCA
- SAL

utensilios útiles
- BATIDORA
- TARTERA DESMONTABLE DE 24 CM (9,44 PULG.) DE DIÁMETRO

tipo de cocción
EN LA CAZUELA Y EN EL HORNO

PONER en una cazuela las ciruelas deshuesadas y troceadas con 100 g (3,5 oz) de azúcar y el *brandy*. Cocerlas durante 4-5 minutos a partir del momento en que empiece a hervir y removiendo de vez en cuando hasta que estén tiernas. Sacarlas del fuego y dejarlas enfriar. Mientras tanto, cortar el pan en daditos, ponerlo en un cuenco, bañarlo con el vino dulce y espolvorear con la canela: mezclar y dejar reposar.

PONER 180 g (6,34 oz) de mantequilla troceada en la batidora con el azúcar restante y montarlo todo hasta obtener un compuesto espumoso; a continuación, con el aparato siempre en marcha, incorporar las yemas de una en una. Pasar este compuesto al cuenco con el pan y remover, amalgamándolo bien. Finalmente, incorporar las claras montadas a punto de nieve bien firme con una pizca de sal.

UNTAR con mantequilla y enharinar la tartera, verter la mitad del compuesto de pan, distribuir por aquí y por allá unas cs de compota de ciruelas, hacer otra capa de pan y terminar con las ciruelas cocidas restantes. Introducir en el horno, precalentado a 180 °C (356 °F), durante 40-45 minutos. Dejar reposar unos minutos y desmoldar. Servir la tarta tibia o fría.

POR QUÉ ES SALUDABLE

LA CIRUELA
Esta fruta aporta una cantidad discreta de vitaminas, especialmente de vitamina A y C. Fresca aporta 42 kcal por cada 100 g (3,5 oz), mientras que seca llega a las 162 kcal. La característica principal de la ciruela es la de estimular el intestino, gracias a una particular sustancia llamada difenil-isatina, *cuya acción es reforzada por los dos azúcares: el sorbitol y el frutosio, que están más concentrado en la fruta seca.*

VINO BLANCO

! VARIANTES APETITOSAS 1• Esta tarta también está muy buena utilizando granos de uva negra en lugar de las ciruelas: en este caso, la uva no se cuece y los granos se cortan por la mitad eliminando las semillas. 2• Igualmente deliciosa es la versión con manzanas reineta cocidas en vino Marsala.

MENÚS EN COLORES PARA TODOS LOS DÍAS

PARA TERMINAR, OS SUGERIMOS DISTINTAS COMBINACIONES PARA VARIAR DE FORMA SALUDABLE E IMAGINATIVA LA ALIMENTACIÓN COTIDIANA: ESTACIÓN POR ESTACIÓN, HE AQUÍ UNA LISTA DE MENÚS SENCILLOS Y FÁCILES DE PREPARAR, FORMADOS POR DOS O TRES PLATOS.

PROPUESTAS EQUILIBRADAS

Cada una de las combinaciones de platos que sigue está acorde con una dieta equilibrada desde el punto de vista nutricional y garantiza, en cada momento, aportes calóricos equilibrados entre carbohidratos, grasas y proteínas, así como contenidos adecuados de vitaminas, sales minerales y sustancias antioxidantes. Se trata de propuestas sencillas, para ser utilizadas como punto de partida para crear vosotros mismos las combinaciones alimentarias más adecuadas y afrontar así la cotidianidad en la mesa sin excesos y sin renunciar, tampoco, al placer de un plato sabroso. Por lo demás, el propósito fundamental es simple: sólo hay que escoger un plato principal y completarlo con un postre o, aún mejor, una fruta fresca. Si optáis por una receta ligera, podéis añadir un postre más rico o, bien, incorporar a vuestro menú un entrante. Si no se prevén cereales o patatas, sería oportuno agregar a la mesa el pan para completar el aporte de carbohidratos.

UNA ELECCIÓN PRUDENTE

No debe olvidarse nunca que hay que elegir las raciones justas de verdura y fruta de los distintos grupos "de color", alternando cada día las variedades en función de la estación y de vuestras preferencias: comer debe ser siempre un placer. Las propuestas contenidas en este libro quieren demostrar que conceptos como "dieta equilibrada" y el "placer de la mesa" no están reñidos entre sí. Para empezar, probar a alternar a lo largo de una semana los menús estacionales indicados en la página contigua. Tomando como base las informaciones incluidas en las prácticas y útiles tablas de las pp. 10-17, vosotros mismos podréis componer muchos otros menús, integrando otras recetas que aparecen en este libro y, también, con vuestras propias especialidades.

LA COMIDA: NO SÓLO ES CUESTIÓN DE GUSTO

Aprender a saborear una comida con los ojos y con el olfato antes incluso que con el paladar, y, después, prestat atención a los sabores de lo que estáis comiendo. Parece un ejercicio banal, pero los ritmos frenéticos de nuestra vida inducen a saciarse rápidamente, con el riesgo de no hacer caso ni de la cantidad ni de la calidad de los alimentos. Un error que, día tras día, puede influir en el equilibrio de nuestra salud. Habituarse a apreciar una cocina en 5 colores, más variada y rica en frutas y verduras, es una victoria para nuestro bienestar.

MENÚ DE PRIMAVERA

1 ■ Fardos de lechuga y robiola (p. 24);
Ensalada colorada (p. 124);
Bombones confitados (p. 110).

2 ■ Bacalao en rojo al vapor (p. 72);
Peras con pistachos (p. 112).

3 ■ Espaguetis en *papillote* (p. 68);
Helado de fruta (p. 138).

4 ■ Torta de escarola y flores de calabaza (p. 20);
Sopa ligera (p. 100);
Creps de fresas a la naranja (p. 76).

5 ■ Tortilla suave (p. 46);
Ensalada de temporada;
Tarta de guindas (p. 78).

6 ■ Alcachofas rellenas de queso (p. 22);
Pavo con salsa de zanahorias (p. 132);
Minisorbetes (p. 114).

7 ■ Ensalada de hierbas con pulpo (p. 34);
Hojaldre de calabacines (p. 42);
Tartitas de zanahorias y chocolate (p. 136).

MENÚ DE VERANO

1 ■ *Pizza* Margarita (p. 70);
Ratatouille de berenjenas (p. 144);
Suflé helado de sandía (p. 84).

2 ■ Tostadas al apio (p. 44);
Pastel de queso con tomates (p. 54);
Pimientos y pan *carasau* (p. 60).

3 ■ Rollitos de pimientos (p. 56);
Conchitas de pasta al atún (p. 64);
Fruta fresca.

4 ■ *Pinzimonio* con alcaparras (p. 90);
Fusilli fríos en marinada (p. 64);
Tarta de pan con ciruelas (p. 160).

5 ■ Pavo con verdura y fruta (p. 32);
Corona de arroz y fresas (p. 82).

6 ■ Canapés de cóctel (p. 106);
Endibias con ventresca (p. 96);
Pastitas de vainilla con frambuesas (p. 158).

7 ■ Fardos de jamón (p. 122);
Escalopas de pollo con ciruelas (p. 154);
Ensalada variada.

MENÚ DE OTOÑO

1 ■ Flanes de requesón a la uva (p. 142);
Pappardelle integrales (p. 38);
Fruta fresca.

2 ■ Sopa de *canederli* de berenjenas (p. 148);
Sartenada de patatas y rebozuelos (p. 98);
Peras a la miel (p. 112).

3 ■ Sopa picante de tomatitos (p. 66);
Tortilla suave (p. 46);
Fruta fresca.

4 ■ *Pizza* de espinacas y huevo (p. 44);
Ensalada de temporada;
Flan de piña (p. 114).

5 ■ Crema en amarillo con calabaza y maíz (p. 128);
Verduras y setas a la vinagreta (p. 124);
Pescado hervido.

6 ■ Pasta y brécol (p. 40);
Tarta de arándanos (p. 156).

7 ■ Pasta, peras y gorgonzola (p. 104);
Ensalada de temporada;
Tarta de manzanas reineta (p. 116).

MENÚ DE INVIERNO

1 ■ *Ribollita* (p. 36);
Ensalada rizada en copa (p. 26);
Tarta cremosa de kiwi (p. 48).

2 ■ Áspic de huevos y rábanos (p. 58);
Ensalada de remolacha (p. 144);
Pescado al horno.

3 ■ Rollitos de ternera guisada (p. 74);
Verduras mixtas encurtidas (p. 94);
Tarta con crema de lima (p. 134).

4 ■ Tortita de puerros y panceta (p. 106);
Ensalada de col cruda (p. 28);
Mousse de caquis a la menta (p. 138).

5 ■ Sopa gratinada de cebollas (p. 102);
Achicoria roja con vinagreta (p. 146);
Carne de cerdo a la plancha.

6 ■ Ensalada de naranjas y aceitunas (p. 126);
Redondo de cerdo con manzanas (p. 108);
Ensalada de espinacas.

7 ■ Crema de apio-nabo (p. 100);
Lenguado a la naranja (p. 130);
Peras a la miel (p. 112).

ÍNDICE DE INGREDIENTES

ÍNDICE DE RECETAS

TABLAS DE EQUIVALENCIAS

más usuales

PESO

Sistema métrico	Sistema anglosajón
30 gramos (g)	1 onza (oz)
55 g	2 oz
85 g	3 oz
110 g	4 oz ($1/4$ lb)
140 g	5 oz
170 g	6 oz
200 g	7 oz
225 g	8 oz ($1/2$ lb)
255 g	9 oz
285 g	10 oz
310 g	11 oz
340 g	12 oz ($3/4$ lb)
400 g	14 oz
425 g	15 oz
450 g	16 oz (1 lb)
900 g	2 lb
1 kg	$2 1/4$ lb
1,8 kg	4 lb

CAPACIDAD (LÍQUIDOS)

Mililitros	Onzas fluidas	Otros
5 ml		1 cucharadita
15 ml		1 cucharada
30 ml	1 fl oz	2 cucharadas
56 ml	2 fl oz	
100 ml	$3 1/2$ fl oz	
150 ml	5 fl oz	$1/4$ pinta (1 gill)
190 ml	$6 1/2$ fl oz	$1/3$ pinta
200 ml	7 fl oz	
250 ml	9 fl oz	
290 ml	10 fl oz	$1/2$ pinta
400 ml	14 fl oz	
425 ml	15 fl oz	$3/4$ pinta
455 ml	16 fl oz	1 pinta EE UU
500 ml	17 fl oz	
570 ml	20 fl oz	1 pinta
1 litro	35 fl oz	$1 3/4$ pinta

TEMPERATURAS (HORNO)

Grados Celsius	Grados Fahrenheit	Gas
70	150	$1/4$
100	200	$1/2$
150	300	2
200	400	6
220	425	7
250	500	9

LONGITUD

Pulgadas	Centímetros
1 pulgada	2,54 cm
5 pulgadas	12,70 cm
10 pulgadas	25,40 cm
15 pulgadas	38,10 cm
20 pulgadas	50,80 cm

ABREVIATURAS

g = gramo
kg = kilogramo
oz = onza
lb = libra
l = litro
dl = decalitro
ml = mililitro
cm = centímetro
fl oz = onza fluida
pulg. = pulgada
ºF = Fahrenheit